Collection folio junior

Pour Sandra et Luca

James Campbell

Le Masque de Sang

Les Messagers du Temps/2

Traduit de l'anglais
par Camille Fabien

Illustrations de Nathaële Vogel

Gallimard

JOURNAL DE MISSION

MAITRISE
Total de Départ :

FORCE
Total de Départ :

ARGENT (Pièces d'Or) :

TALENTS :

. Armurier ☐
. Botaniste ☐
. Charpentier ☐
. Dessinateur ☐
. Musicien ☐
. Prestidigitateur ☐
. Zoologiste ☐

VETEMENTS
ET ACCESSOIRES :

Prologue

Au Royaume du Temps, on ne connaît ni les siècles, ni les années, ni les heures. On ne connaît ni passé ni avenir, car ici, le présent se confond avec l'Eternité. Les êtres qui peuplent le Royaume du Temps ignorent la durée, et les tourments de l'âge ou la crainte de la mort leur sont à jamais épargnés. Les Pérenniens, en effet, — c'est le nom qu'ils se donnent — s'épanouissent dans la plénitude de la jeunesse dès l'instant de leur naissance, pour ne plus jamais vieillir. Tous, ainsi, semblent conserver uniformément le même âge sans qu'aucun d'eux se soit jamais demandé combien d'années il avait déjà vécues.

Ici, au centre de la Terre, dans cet espace d'eau, de feu et de roc qui forme le cœur de la planète, le Temps est resté à jamais immobile. Sur ce Temps immobile règne Chronalia, votre mère, Chronalia, Reine du Temps, que ses devoirs vont appeler ailleurs, dans une autre dimension. Un nouveau règne commencera pour elle, mais dans un monde qui n'est pas celui que vous connaissez.

Qui succédera à Chronalia sur le trône du Royaume du Temps ? Peut-être l'un de vous deux, le frère ou la sœur, le Prince ou la Princesse du Temps. L'un de vous se verra peut-être confier le Sceptre d'Eternité, symbole du pouvoir royal. Mais pour accéder à cet honneur suprême, il faut accomplir quatre missions à la surface de la Terre. Ces quatre missions consistent chacune à délivrer un Messager du Temps prisonnier des hommes. Quatre Messagers en tout, dépêchés sur Terre pour intervenir dans l'histoire de l'humanité, quatre Messagers qui avaient pour tâche d'aider les hommes à triompher de la barbarie et de l'injustice. Au Royaume du Temps, de nombreuses légendes relatent les hauts faits de ces Pérenniens d'exception qui ont accepté de risquer leur vie au service des hommes. Leur vie, en effet, car si l'on ne meurt pas au Royaume du Temps, si l'Eternité est le lot de chacun, quiconque, parmi les Pérenniens, décide de monter à la surface de la Terre partage alors la destinée des humains : il devient mortel. Votre vie, vous l'avez déjà risquée en vous portant tous deux au secours de Gayok le Preux, enfermé dans les geôles de Gouttard, seigneur de Malgrâce. Grâce à votre intervention, la vie de Gayok, l'un des plus prestigieux Messagers du Temps, a été préservée, il a pu regagner le Royaume et retrouver une partie de la jeunesse qu'il avait perdue dans la Tour du Carillon[1]. Grâce à vous encore, une jeune bergère de Lorraine a eu la première révélation de son destin qui n'était pas mince puisqu'elle était promise à délivrer le royaume de France du joug de l'Angleterre. D'autres Messagers, venus d'un autre monde que le vôtre, ont pris votre relais auprès de l'innocente bergère et il a fallu quatre ans du Temps des hommes pour que la destinée s'accomplisse. Vous êtes arrivés à la surface de la Terre en l'année à laquelle les humains avaient attribué le nombre 1425, mais c'est en 1429 que « Jehanne, la bonne Lorraine » a « bouté les Anglois hors de France » et fait sacrer à

1. Voir : *Le Carillon de la Mort*, collection Folio Junior.

Reims le roi Charles VII, suivant en cela les recommandations que vous lui aviez communiquées d'une manière quelque peu inhabituelle. Qui de vous deux a mené à bien cette mission ? Le frère ? La sœur ? Il vous est arrivé de vous disputer à ce sujet, mais votre mère a fini par trancher : le mérite vous en revient à égalité, vous n'avez donc pas réussi à vous départager et la deuxième mission que vous allez entreprendre ne fera qu'accentuer votre rivalité. Cette rivalité est connue de tous, dans le Royaume du Temps ; certes, vous êtes nés jumeaux parfaits, votre ressemblance est hallucinante, mais tant de choses vous séparent que vos nombreuses querelles sont devenues légendaires. L'amour que vous éprouvez l'un pour l'autre n'en est pas moins bien réel, et lorsque vous décidez de vous réconcilier naît alors entre vous cette complicité si particulière et si profonde que seuls les véritables jumeaux semblent capables de ressentir.

Votre première mission a donc été couronnée de succès, mais il vous faut remonter à la surface de la Terre pour tenter d'accomplir la deuxième. Chronalia, votre mère, vous a fait venir tous deux dans la Grotte de la Sagesse, sur les rives du Lac aux Sept Clartés. Tout au fond de ce lac, les roches du centre de la Terre bouillonnent de fureurs incessantes que même l'eau ne peut apaiser, et les sept couleurs de l'univers jaillissent ainsi des profondeurs, colorant la surface de flamboiements irisés. L'eau du Lac aux Sept Clartés diffuse une chaleur douce et constante qui se répand dans tout le Royaume, pénétrant les éminences de pierres étagées en collines, au cœur desquelles s'enfoncent des escaliers aux marches de roc. La Grotte de la Sagesse a été ainsi nommée en raison de l'énergie particulière qui se dégage des minéraux dont ses parois sont formées. Cette énergie composée d'ondes bienfaisantes stimule les fonctions cérébrales et favorise la concentration mentale. C'est dans ce lieu que l'on vient méditer sur le destin du monde, c'est là aussi que Chronalia aime à réfléchir aux grandes décisions qu'elle doit prendre pour le bien du Royaume, voire de la Terre elle-même. Votre mère est déjà là lorsque vous arrivez, elle vous attend en compagnie de Gayok le Preux, le Messager du Temps que vous avez sauvé de la mort. Lorsque vous l'aviez retrouvé dans les geôles de l'effroyable Gouttard de Malgrâce, Gayok le Preux n'était plus qu'un vieillard proche de sa fin. Son retour au Royaume du Temps lui a permis de retrouver une certaine jeunesse, mais son aventure l'a marqué et il garde sur son visage les stigmates de la vieillesse qui fut la sienne lors de sa captivité. Rendez-vous au **1**.

— Mes enfants, dit Chronalia en vous accueillant dans la Grotte, j'ai demandé à Gayok le Preux d'être présent tandis que je vous expliquerai la nature de votre deuxième mission. La sagesse de ce fidèle serviteur du Royaume vous aidera à mieux comprendre ce que nous attendons de vous. Sachez tout d'abord que cette mission vous amènera en France, à Paris très exactement.

— Oh chic, Paris ! vous écriez-vous en chœur.

— Allons, je vous en prie ! coupe votre mère d'un ton sec, il ne s'agit pas d'un voyage d'agrément, croyez-le bien ! Soyez plutôt attentifs et écoutez-moi. Comme vous le savez déjà, vous allez devoir délivrer un autre Messager du Temps : il s'agit, cette fois, de Hensock le Follet...

Vous ne pouvez alors vous empêcher d'éclater de rire, et votre mère elle-même, malgré la solennité de l'instant, ne parvient pas à réprimer un sourire. Seul Gayok le Preux, par esprit de camaraderie, parvient à rester impassible. Votre soudaine hilarité est due à la personnalité même de Hensock le Follet que certains ont surnommé « le Fou de la Reine ». Hensock est en effet réputé pour sa drôlerie et sa capacité à faire rire les Pérenniens les plus sérieux, mais également pour son caractère farfelu qui l'entraîne volontiers dans des situations cocasses ou même loufoques, à l'occasion. A plusieurs reprises, lors de ses missions sur Terre, Hensock le Follet a provoqué des événements risibles dont l'histoire des hommes n'a pas toujours conservé le souvenir, mais qui eurent l'avantage de divertir ceux qui les vécurent.

— Je comprends votre amusement, poursuit Chronalia, cette fois, cependant, les choses sont sérieuses : Hensock le Follet est en danger de mort.

Cette nouvelle met fin à votre hilarité : la mort de

Hensock le Follet serait en effet ressentie par tous les Pérenniens comme une perte irréparable. Car tout le monde, ici, aime Hensock, il est, à n'en pas douter, l'une des figures les plus populaires du Royaume et l'on ne se consolerait pas de sa disparition.

— Hensock se trouve à Paris en l'année 1789, reprend Chronalia, et il est accusé d'assassinat et de complot.

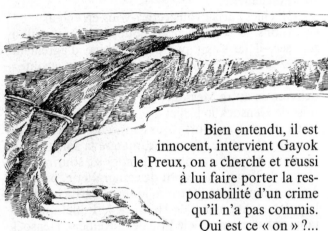

— Bien entendu, il est innocent, intervient Gayok le Preux, on a cherché et réussi à lui faire porter la responsabilité d'un crime qu'il n'a pas commis. Qui est ce « on » ?...

— C'est à vous de le découvrir, achève Chronalia, c'est à vous d'innocenter Hensock et de le ramener ici sain et sauf. La seule chose que je puisse faire pour vous aider, c'est de vous donner l'adresse d'un homme avec lequel Hensock avait pris contact. Vous pouvez avoir confiance en cet homme, il est loyal et digne d'estime. Bien entendu, vous ne devrez en aucun cas lui parler du Royaume du Temps. Hensock le Follet se sera présenté à lui comme un simple mortel. J'ai écrit sur deux papiers séparés l'adresse à laquelle vous devrez vous rendre pour rencontrer l'homme dont je viens de vous parler. Qui parviendra à innocenter Hensock le Follet ? Toi, ma fille ?

Ou toi, mon fils ? Je l'ignore, il vous appartient d'agir à bon escient pour sauver notre Messager. Vous ferez comme bon vous semblera, seule compte la réussite de votre mission.

Vous rangez tous deux dans l'une de vos poches le papier sur lequel figure le nom et l'adresse de l'homme que vous devrez aller voir à votre arrivée à Paris et vous attendez que Chronalia vous donne ses dernières recommandations. Si vous avez déjà vécu l'aventure du *Carillon de la Mort*, rendez-vous au **3**. Dans le cas contraire, rendez-vous au **2**.

2

— Avant que vous ne soyez transportés à la surface de la Terre, il vous faut encore savoir certaines choses, reprend votre mère. Vous aurez, n'en doutez pas, de nombreux ennemis à combattre et votre MAÎTRISE des armes sera essentielle pour vaincre ceux qui chercheront à vous nuire. Vous l'évaluerez exactement en lançant deux dés et en ajoutant 10 au chiffre obtenu. Vous inscrirez alors ce total dans la case MAÎTRISE du *Journal de Mission* que je confie à chacun de vous. Lorsque vous connaîtrez votre total de MAÎTRISE, vous devrez aussi déterminer la valeur de votre FORCE. C'est cette FORCE qui vous permettra de résister aux blessures, à la fatigue et, d'une manière générale, à toutes les épreuves qui vous obligeront à puiser dans les ressources de votre énergie vitale. Vous saurez quelle est votre FORCE en lançant à nouveau deux dés et en ajoutant 20 au chiffre obtenu. N'oubliez pas d'inscrire ce total dans la case FORCE de votre *Journal de Mission*. Au cours de votre aventure, vous aurez parfois à combattre physiquement des adversaires, c'est hélas la loi dans le monde des hommes. En un tel cas, voici comment il faudra procéder lors de chaque Assaut.

- Lancez deux dés pour vous-même. Ajoutez vos points de MAÎTRISE au résultat obtenu. Vous aurez ainsi calculé votre Total d'Attaque.

- Lancez également deux dés pour votre adversaire et ajoutez ses points de MAÎTRISE au résultat obtenu. Vous connaîtrez ainsi son propre Total d'Attaque.

- Si votre Total d'Attaque est supérieur à celui de votre adversaire, vous lui avez infligé une blessure.

- Si le Total d'Attaque de votre adversaire est supérieur au vôtre, c'est vous qui aurez reçu une blessure.

- Si votre adversaire et vous-même obtenez deux résultats égaux, ni l'un ni l'autre n'aura été blessé.

- Déterminez ensuite quelle est la gravité de la blessure, pour vous-même ou pour votre ennemi, puis lancez le deuxième Assaut et ainsi de suite jusqu'à la fin du combat.

Pour savoir quelle est la gravité d'une blessure infligée à un adversaire ou à vous-même, lancez à nouveau deux dés et reportez-vous aux dessins que j'ai tracés pour vous. Si vous obtenez un total de :

- 2 : vous ou votre adversaire aurez été atteint à la tête. Dans ce cas, relancez aussitôt un dé. Le chiffre obtenu vous indiquera le nombre de points de FORCE perdus.

- 3 : le coup aura été porté à la main qui tient l'arme. Cette blessure entraîne une perte de 2 points de FORCE, mais elle réduit également de 1 point le total de MAÎTRISE de celui qui la reçoit (vous-même ou votre ennemi) et ce, pendant toute la durée du combat. Vous retrouverez votre total habituel de MAÎTRISE dès le combat suivant.

- 4 : le coup aura été porté au bras qui brandit l'arme. Cette blessure coûte 3 points de FORCE, mais elle réduit également de 1 point le total de MAÎTRISE de celui qui la reçoit (vous-même ou votre adversaire) et ce, pendant toute la durée du combat. Vous retrouverez votre total habituel de MAÎTRISE dès le combat suivant. Si, par extraordinaire, il arrivait que votre total de MAÎTRISE, ou celui de votre adversaire, soit réduit à zéro à la suite de blessures répétées à la main ou au bras qui brandit l'arme, l'affrontement cesserait aussitôt, vous ou votre ennemi, selon le cas, étant alors considéré comme mort.

- 5 : le coup aura été porté à la main qui ne tient pas l'arme. La blessure entraîne la perte de 1 point de FORCE.

- 6 : le coup aura été porté au bras qui ne brandit pas l'arme. Cette blessure coûte 2 points de FORCE.

- 7 ou 8 : c'est l'une ou l'autre jambe qui aura été blessée. Il en résultera une perte de 2 points de FORCE et l'impossibilité de fuir le combat engagé.

- 9, 10, 11 : ces blessures au thorax font perdre 3 points de FORCE.

- 12 : vous ou votre adversaire aurez été atteints dans la région du cœur. Dans ce cas, relancez aussitôt un dé. Le chiffre obtenu vous indiquera le nombre de points de FORCE perdus.

Si votre adversaire n'est pas un être humain, il vous sera indiqué, en fonction de la forme de son corps, quelle pénalité il convient de lui infliger à chaque blessure.

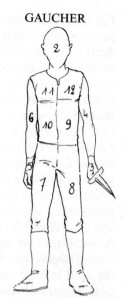

DROITIER　　　　　　　**GAUCHER**

— Le courage est une des qualités essentielles dont vous devrez faire preuve au cours de votre entreprise, poursuit Chronalia, et je ne souhaite donc pas que vous vous dérobiez devant l'ennemi. Pourtant, il vous sera parfois nécessaire de prendre la fuite plutôt que de livrer bataille. Vous pourrez le faire lors de certains combats, à condition d'avoir lancé au moins *un* Assaut contre celui qui vous attaquera. Cependant, si par malheur vous recevez une blessure aux jambes au cours de cet Assaut, il ne vous sera alors plus possible de vous échapper et vous devrez de ce fait poursuivre le combat jusqu'à son terme. Un combat prend fin lorsque les points de FORCE de l'un des deux adversaires ont été réduits à zéro, l'entraînant ainsi dans la mort. Dieu fasse que cela ne vous arrive jamais, soupire votre mère, j'en serais à jamais désespérée...

J'ai déjà parlé du courage qui devra vous animer pour mener à bien votre mission. Sachez que vous devrez également vous montrer *Audacieux* à bon escient. Vous aurez en effet à plusieurs reprises l'occasion de tenter des *Coups d'Audace*. Pour cela, voici comment vous devrez procéder : je vais donner à chacun de vous un parchemin sur lequel sont gravées les Cartes d'Audace, au nombre de six : *La Licorne, La Couronne, Le Serpent, L'Ondine, l'Étoile du Nord, Le Poignard*. Chaque fois que la possibilité vous sera offerte de tenter un *Coup d'Audace*, vous pourrez tirer l'une de ces cartes, soit en les mélangeant dans un chapeau après les avoir découpées, soit en fermant les yeux et en plantant au hasard la pointe d'un crayon sur le parchemin. Chaque carte ainsi désignée par le sort entraînera des conséquences dont le détail vous sera indiqué en temps utile. Je dois cependant vous avertir que choisir d'être *Audacieux* présente bien des dangers. Il se peut que vous en tiriez des avantages exceptionnels, mais le plus souvent, les *Coups d'Audace* vous feront courir le risque de subir de grands malheurs. Sachez donc vous montrer prudents.

Autre chose à présent : vous ne pourrez réussir votre mission qu'en vous maintenant dans la meilleure condition physique possible ; pour cela vous devrez absorber régulièrement une nourriture équilibrée en prenant deux repas par jour qui vous feront gagner chacun 2 points de FORCE. Soyez rigoureux dans votre alimentation, car s'il vous arrivait de manger pour la troisième fois dans la même journée, vous perdriez alors 1 point de FORCE pour cause d'indigestion.

Venons-en maintenant au dernier point de mes recommandations : pour faciliter votre adaptation

LA COURONNE

L'ÉTOILE DU NORD

LE POIGNARD

LE SERPENT

LA COURONNE

LA LICORNE

L'ONDINE

LE POIGNARD

LE SERPENT

L'ÉTOILE DU NORD

LA LICORNE

L'ONDINE

au monde des hommes, je vais vous donner la possibilité d'acquérir deux talents qui vous permettront de mieux affronter certaines situations difficiles. Grâce aux pouvoirs dont je dispose, vous assimilerez ces deux talents à votre insu, sans avoir le moindre effort à faire pour cela. C'est à chacun de vous de décider quels talents vous souhaitez pouvoir exercer ; vous les choisirez parmi les sept que je vais vous énumérer à présent :

1. Le talent d'ARMURIER vous permet de fabriquer ou de réparer certaines armes sans vous donner pour autant d'habileté supplémentaire dans leur maniement.
2. Le talent de BOTANISTE permet de distinguer les bonnes plantes des mauvaises et de fabriquer des potions bienfaisantes pour soi-même ou des poisons pour ses ennemis.
3. Le talent de CHARPENTIER donne l'habileté nécessaire pour construire ou réparer une maison, une embarcation, etc.
4. Le talent de DESSINATEUR permet de faire des portraits très ressemblants. Vous pourrez ainsi, par exemple, dessiner le visage de quelqu'un que vous recherchez et montrer ce croquis à des témoins qui vous indiqueront éventuellement où trouver cette personne.
5. Le talent de MUSICIEN donne la possibilité d'adoucir les mœurs de certains être hostiles et aussi de gagner un peu d'argent en jouant dans des fêtes ou des cabarets. Si vous possédez ce talent, l'occasion vous sera donnée par la suite de vous procurer un ou plusieurs instruments de musique dont vous pourrez jouer à votre convenance.
6. Le talent de PRESTIDIGITATEUR permet de faire des tours de magie impressionnants, mais aussi de

subtiliser habilement un objet ou de créer une illusion au moment opportun.

7. Enfin, le talent de ZOOLOGISTE vous donne une bonne connaissance du monde animal grâce à laquelle il vous sera parfois possible d'éviter l'attaque d'une bête féroce ; vous pourrez même, le cas échéant, vous faire de cette créature un allié contre vos ennemis.

Choisissez dès à présent deux de ces talents et dès votre arrivée à la surface de la Terre, ils vous seront acquis.

Votre mère a encore quelque chose à vous dire. Vous saurez de quoi il s'agit en vous rendant au 3.

3

— Puisque vous allez entreprendre votre deuxième mission, poursuit votre mère, vous aurez droit à quelques avantages supplémentaires. Pour commencer, il vous sera permis d'ajouter un *troisième* talent aux deux que vous avez déjà choisis. Ensuite, vous pourrez conserver les armes que vous avez rapportées de votre première mission. Enfin, je vais remettre à chacun de vous une bourse qui contient 5 louis d'or. Ces pièces vous permettront de subvenir à vos dépenses d'habillement et de nourriture. Vous devrez en effet vous vêtir à la mode du temps et ce sera d'ailleurs l'une des premières choses à faire. Je viens de vous parler d'armes ; à ce sujet, Gayok le Preux va vous donner quelques indications supplémentaires, je lui laisse donc la parole.

— A l'époque où vous allez arriver à Paris, dit alors Gayok, on n'utilise plus seulement des armes blanches, mais également des armes à feu, notamment des pistolets. Les pistolets sont d'un maniement très simple mais ils exigent de la rapidité, autant pour tirer que pour les recharger. Pour savoir qui aura été le plus rapide, de vous ou de votre adversaire, vous devrez lancer un dé par deux fois, une fois pour vous-même, une fois pour lui. Si le chiffre que vous donne le dé est supérieur à celui obtenu par votre adversaire, vous aurez été le plus rapide à recharger et à tirer ; vous bénéficierez alors d'autant de points de MAÎTRISE supplémentaires qu'il y aura de différence entre les deux chiffres mais uniquement *pour l'Assaut en cours* ; il faudra recommencer l'opération à chaque coup de feu que vous tirerez. Par exemple, si vous obtenez un 5 et que votre adversaire n'obtienne que 3, vous aurez droit à 2 points de MAÎTRISE en plus au cours de ce tir. Bien entendu, si c'est à votre ennemi que le dé donne le chiffre le plus élevé, c'est lui qui bénéficiera de points de MAÎTRISE supplémentaires calculés de la même manière. Si les deux chiffres obtenus sont égaux, il n'y aura aucun changement dans le total de MAÎTRISE de l'un ou de l'autre. Je vous souhaite à l'un et à l'autre d'être toujours les premiers à tirer.

— Vous allez donc repartir chez les hommes, reprend Chronalia, n'oubliez pas qu'il faut que l'un de vous deux réussisse *quatre* missions pour hériter du Sceptre d'Eternité, symbole de mon pouvoir. Sachez vous montrer dignes de votre lignée, sachez faire preuve de sagesse, de courage, de générosité et d'intelligence. Je n'ai rien d'autre à ajouter.

Vous connaissez à présent la nature de votre mission, et les règles qui vous permettront d'évoluer dans le monde des humains. Si vous êtes une fille, vous serez la Princesse du Temps, si vous êtes un garçon, vous serez le Prince du Temps. Enfin, dernière précision : si vous avez mené à bien la mission du *Carillon de la Mort*, vous pouvez, à votre choix, soit augmenter de 1 point le total de MAÎTRISE et de

2 points le total de FORCE que vous aviez alors, soit relancer les dés pour calculer un nouveau total de MAÎTRISE ou un nouveau total de FORCE, ou les deux, à votre convenance.

L'air s'est soudain mis à tourbillonner devant Chronalia et une sorte de globe immatériel apparaît, qui grandit de plus en plus : c'est une Télégéosphère qui vient de se former, ce phénomène d'énergie centrifuge hydro— ou aéro-cinétique qui permet de quitter le Royaume du Temps pour entrer dans le monde des hommes. La Télégéosphère vous enveloppe tous deux, et vous sentez la force du tourbillon vous entraîner peu à peu hors de la Grotte, vers la rive du Lac aux Sept Clartés. Vous avez déjà l'expérience d'un tel voyage, vous n'éprouvez donc aucune appréhension lorsque la Télégéosphère plonge dans l'eau du lac. Vous respirez librement, bien que vous ayez maintenant la tête sous l'eau, et vous voyez alors les sept clartés de l'univers se confondre en une lumière aveuglante ; comme la première fois, un vertige vous gagne, une sensation d'engourdissement se répand peu à peu dans tout votre corps ; il vous devient impossible de faire le moindre geste, vous avez l'impression d'être paralysés, pétrifiés. Vous sentez confusément que vous vous éloignez l'un de l'autre, puis, brusquement, tout s'obscurcit et vous plongez tous deux dans les ténèbres. Rendez-vous au **4**.

4

Bien que vous en soyez à votre deuxième voyage à la surface de la Terre, vous n'avez toujours pas la moindre idée du trajet qu'a pu emprunter la Télégéosphère pour vous transporter dans le monde des hommes. Comme la première fois, lorsque vous revenez à vous, vous vous retrouvez à plat ventre dans une grotte faiblement éclairée par la lumière du jour. Vous clignez les yeux, vous vous frottez les paupières, et vous vous réveillez peu à peu, comme si l'on venait de vous arracher à un sommeil lourd et sans rêve. La Télégéosphère a disparu, à présent. Vous êtes à nouveau libre de vos mouvements et vous vous relevez avec lenteur, les muscles encore engourdis. Vous avez tôt fait, cependant, de reprendre vos esprits et vous retrouvez sans difficulté votre souplesse habituelle. Dans votre hâte de revoir le ciel et la surface de la Terre, vous vous dirigez aussi vite que possible vers la lumière qui entre un peu plus loin par une large ouverture. Le sol est relativement plat et vous n'avez pas trop de mal à avancer. Vous voici maintenant à l'entrée de la grotte. Comme vous sortez de la pénombre, la clarté du jour vous paraît d'abord insoutenable, mais vous avez déjà éprouvé cette sensation lors de votre premier voyage et vous savez qu'elle ne dure guère. Quelques instants plus tard, en effet, vos yeux se sont accoutumés à la lumière et vous contemplez alors le paysage qui s'étend devant vous. Vous remarquez tout d'abord un grand moulin dont les ailes sont immobiles. Il n'existe pas de moulins, au Royaume du Temps, mais vous en avez déjà vu des images au cours de vos séances d'instruction sur la vie des hommes. A côté du moulin, un cheval blanc attaché à un piquet broute de temps à autre une touffe d'herbe. De l'autre côté, un chemin descend vers des maisons que vous apercevez au loin : Paris ! Vous sortez alors de votre poche le papier que vous a donné votre mère et vous relisez le nom et l'adresse qui y figurent : Timothée Lestingois, 15, rue des Vinaigriers. C'est là que vous allez devoir vous rendre toutes affaires cessantes, mais comment trouver cette rue dans une aussi grande ville, vous qui n'avez jamais connu que

4 *Comme vous sortez de la pénombre, vous remarquez un grand moulin dont les ailes sont immobiles.*

la campagne lorraine ? Le moment est venu d'agir, en tout cas, et vous sortez de la grotte pour vous avancer vers le moulin. Sans doute suffit-il d'emprunter le sentier pour arriver à Paris, mais la distance vous paraît longue et vous ne vous sentez pas d'humeur à la parcourir à pied. Aussi ce cheval ferait-il grandement votre affaire... Vous vous en approchez donc en surveillant les alentours et comme vous ne voyez personne, vous vous empressez de détacher la longe qui retient l'animal à son piquet. Le cheval porte un harnais, mais il n'est pas sellé. Tant pis : votre habileté en matière d'équitation est suffisante pour que vous n'ayez pas trop à pâtir de ce désagrément. Vous vous apprêtez à enfourcher l'animal lorsqu'un homme surgit soudain de derrière le moulin.

— Hé, là-bas ! s'écrie-t-il en courant vers vous, on ne touche pas à mon cheval !

Si vous êtes le Prince du Temps, rendez-vous au **55**.

Si vous êtes la Princesse du Temps, rendez-vous au **134**.

5

— Nous ne tarderons pas à être débarrassés de ce soi-disant prince Pérenniov, assure l'homme. D'ailleurs, il ne peut rien contre nous, il est surveillé de près et n'a à Paris aucun ami. Pour l'instant, nous le laissons s'agiter en vain, bientôt, il sera définitivement neutralisé.

« Surveillé de près » ? Pas en ce moment, en tout cas ! Reste à savoir comment on compte vous « neutraliser ».

— Frères, notre réunion s'achève. Notre cause triomphera, la monarchie sera divine et absolue, c'est la volonté de Dieu et que par le sang du Seigneur...

— Coule le sang du peuple, répètent les autres autour de la table.

— Notre prochaine réunion aura lieu en séance plénière demain soir au lieu habituel. Retournons danser à présent ; après tout, il faut faire honneur à notre hôtesse.

Un grand éclat de rire accueille ces dernières paroles et tout le monde se lève. Vous en faites autant. Les membres de la confrérie sortent du grenier et vous les suivez. Vous redescendez ainsi dans le grand salon où le bal continue. Les invités semblent enchantés de leur soirée à en juger par l'animation qui règne ici. Les frères aux masques de sang ont repris leur place parmi les danseurs, sauf l'homme aux sabots qui a disparu. Mme de Sainte-Mouffle virevolte entre ses invités, mais l'abbé Goulot du Pauillac est parti. Sans doute a-t-il préféré aller se coucher plutôt que d'être témoin de ces frivolités ! Quant à vous, il vous paraît plus judicieux de vous éclipser discrètement. Car vous avez la ferme intention de tout mettre en œuvre pour empêcher que se réalisent les monstrueux projets dont vous avez entendu parler ce soir. Vous parvenez sans difficulté à quitter la maison et vous respirez une grande bouffée d'air en vous retrouvant au-dehors. L'atmosphère, ici, devenait étouffante.

Si vous êtes le Prince du Temps, rendez-vous au **235**.
Si vous êtes la Princesse du Temps, rendez-vous au **213**.

6

Si vous avez fait l'acquisition d'une redingote de satin à parements dorés, rendez-vous au **148**. Dans le cas contraire, rendez-vous au **204**.

7

Si vous avez été chez M. de Joubeuf aujourd'hui, rendez-vous au **124**. Dans le cas contraire, rendez-vous au **5**.

8

Un murmure dans la foule qui vous entoure annonce l'arrivée de la police.
— Au secours ! On veut m'assassiner ! s'écrie le marchand en prenant des airs apeurés comme si vous étiez un bandit.

L'homme ne manque pas d'aplomb et les policiers qui se précipitent sur les lieux sont perplexes. Vous avez beau protester de votre bonne foi, vous n'arrivez pas à les convaincre tout à fait et les témoins, bien entendu, se défilent. Ne sachant que penser, l'officier de police qui commande la patrouille tranche le débat en vous faisant payer l'amende que l'on inflige à ceux qui portent une épée sans en avoir le droit. Bien qu'étant de sang royal, vous ne parvenez pas à prouver que vous appartenez à l'aristocratie, condition à laquelle on est autorisé à se promener avec une épée à Paris, et vous n'avez donc plus qu'à vous acquitter sur-le-champ de l'amende de 200 livres que prévoient les ordonnances royales en cas d'infraction. 200 livres, c'est-à-dire 8 louis, 1 écu et 40 sols ! Votre pécule s'en trouve singulièrement diminué, mais vous n'en êtes pas quitte pour autant, car l'officier de police prétend vous confisquer votre arme. Il vous faut déployer des trésors de diplomatie et glisser un autre louis d'or dans la poche de son gilet pour qu'il y renonce. Voilà un incident qui vous a coûté cher ! Mais c'est seulement à ce prix que la police consent à vous laisser tranquille. Vous revenez ensuite sur vos pas pour reprendre votre cheval. Que comptez-vous faire à présent, que vous n'ayez déjà fait ?

Vous rendre chez Clotilde de Sainte-Mouffle ?	Rendez-vous au **29**
Aller à l'auberge du Pont-Marie pour y louer la chambre 4 ?	Rendez-vous au **143**
Aller faire quelques achats que vous estimez indispensables ?	Rendez-vous au **24**

Au prix d'un effort de concentration que vous ne pensiez pas être capable de fournir, vous parvenez à retrouver une certaine mobilité de mouvements. Bien entendu, vous n'avez pas la moindre intention de répondre à la question que vous a posée l'homme à la cape rouge, vous projetez bien au contraire de lui faire rendre gorge. Sachez, cependant, que l'état d'engourdissement dans lequel vous vous trouvez, et qui est dû aux champignons que vous avez eu l'imprudence de manger, diminue votre total de MAÎTRISE de 2 points et de 3 points votre total de FORCE. Si vous avez fait l'acquisition d'un pistolet, rendez-vous au **56**. Dans le cas contraire, rendez-vous au **196**.

— J'aime particulièrement ce tableau, répondez-vous avec votre accent russe. Ces couleurs sont si vivantes ! Qui donc a peint cela ?

— Un jeune artiste nommé David, il fera son chemin, je crois. Je lui ai acheté cette toile pour l'encourager. Mais dites-moi plutôt, prince, quel est ce sujet si délicat dont vous vouliez m'entretenir ?

— Eh bien... Voici : avant de perdre connaissance, monsieur de la Gaillottière m'a demandé de vous rapporter ce... ce médaillon.

Vous sortez alors l'objet de votre poche et vous le montrez à la comtesse qui pousse un petit cri.

— Oh ! Pardonnez-moi, je... C'est tellement inattendu ! dit-elle d'une petite voix flûtée. Mais comment ?... Oh ! Je... Pardonnez ma confusion, mais ce... ce petit portrait n'aurait pas dû se trouver en la possession du baron de la Gaillottière.

En prononçant ces mots, la comtesse éclate en sanglots, ce qui vous met dans l'embarras.

— Je suis au désespoir, Madame, de vous causer tant de peine, croyez que je n'ai fait que...

Vous n'aviez pas prévu que votre mensonge allait plonger Mme de Sainte-Mouffle en un tel désarroi. Peut-être avez-vous commis une bévue en lui montrant ce médaillon, mais vous n'aviez pas le choix, il vous fallait bien un prétexte pour lui rendre visite et tenter d'obtenir d'elle des renseignements utiles à votre enquête. Après tout, vos pistes ne sont pas si nombreuses...

— Je sais, dit la comtesse, vous n'avez fait qu'obéir à monsieur de la Gaillottière, mais il s'attache tant de souvenirs à ce médaillon...

Mme de Sainte-Mouffle tourne et retourne l'objet entre ses doigts tandis que des larmes continuent de couler sur son visage.

— Connaissiez-vous monsieur de Ponsac ? demande la comtesse.

— Je n'ai jamais eu l'honneur de le rencontrer, mais sa réputation est parvenue jusqu'à moi, répondez-vous.

Vous allez peut-être apprendre quelque chose d'intéressant et vous écoutez donc attentivement ce que Mme de Sainte-Mouffle va vous dire.

— C'était l'homme le plus charmant, le plus attentionné, le plus généreux que j'aie connu, déclare-t-elle. Il avait de l'esprit, de l'érudition, de la fortune. Hélas ! Il a été assassiné !

— Et... sait-on par qui ? demandez-vous prudemment.

— Par un rustre, un vaurien, un barbare ! s'emporte la comtesse. Un dénommé Hensock Lefollet. Que son nom soit maudit ! Que ce fripon reçoive le châtiment qu'il mérite ! Il le recevra d'ailleurs : je sais que le roi a décidé sa mort, mais la mort serait encore trop douce pour une telle canaille !

Heureusement que vous ne vous êtes pas fait annoncer sous le nom de « Lefollet » ! Vous n'auriez eu aucune chance de rencontrer la comtesse...

— Ce médaillon, je l'avais donné à monsieur de Ponsac, confesse celle-ci, en gage... de l'amitié que je lui portais. Aussi, concevez ma stupeur en apprenant qu'il se trouvait en la possession du baron de la Gaillottière et que ce dernier le conservait sur lui.

— Peut-être monsieur de Ponsac le lui avait-il confié ? suggérez-vous.

— Pour quel motif ? Et pourquoi monsieur de la Gaillottière, si grièvement blessé, aurait-il pensé avant tout à me le faire remettre ? Non, je... Je n'arrive pas à comprendre ce qui s'est passé... Merci, en tout cas, prince, de m'avoir rendu ce bijou si cher à mon cœur.

— Eh bien, Madame, ma mission accomplie, il ne me reste plus...

— Oh, je vous en prie, appelez-moi Clotilde et permettez-moi de vous appeler Igor...

— Heu... Soit, mais... répondez-vous d'un ton quelque peu embarrassé.

— J'ai toujours été si sensible au charme slave, reprend Mme de Sainte-Mouffle. Etes-vous pour longtemps à Paris ?

— Quelques jours...

— Alors faites-moi la grâce de compter parmi mes invités demain soir ; je donnerai ici un bal masqué, et je serais enchantée de votre présence ; venez demain, Igor, je vous en prie...

— Je... je viendrai, promettez-vous en espérant que cette soirée vous permettra de faire avancer votre enquête.

— Oh, merci, dit la comtesse avec un sourire charmeur. J'ai tant besoin de réconfort après de si douloureuses émotions...

— Je dois à présent prendre congé, dites-vous en vous inclinant.

— Je vous laisse partir, mais n'oubliez pas de revenir demain...

La comtesse vous fait raccompagner par son domestique qui ne manifeste aucune amabilité particulière à votre égard. Parvenu dans la cour de l'hôtel, vous remontez sur votre cheval et vous quittez les lieux. Voilà une visite qui aura été fructueuse, si toutefois vous avez su en tirer le meilleur parti. Demain soir, lorsque vous irez au bal masqué, il s'agira d'ouvrir l'œil : vous avez l'intuition, en effet, que Mme de Sainte-Mouffle et ses invités pourraient vous apprendre bien des choses sur l'affaire qui vous occupe. En attendant, il vous faut organiser au mieux votre temps. Que souhaitez-vous faire que vous n'ayez déjà fait ?

Aller à l'auberge du Pont-Marie pour y louer la chambre 4 ? — Rendez-vous au **143**

Retourner chez Robert de la Gaillottière en espérant qu'on vous renseignera sur son sort ? — Rendez-vous au **155**

Tenter de retrouver le domestique qui, selon le commissaire Du Réner, aurait été témoin du meurtre de Thibaud de Ponsac ? — Rendez-vous au **72**

Aller faire quelques achats que vous estimez indispensables ? — Rendez-vous au **24**

Vous vous rendez chez Veaugèle, sellier. Là, vous pourrez acheter une selle pour votre cheval. Il vous en coûtera 3 louis d'or, mais vous voyagerez plus confortablement. Une fois votre achat payé, vous retournerez au **24** pour faire un nouveau choix.

Vous contemplez la façade de la maison devant laquelle le cocher s'est arrêté. Apparemment, plus personne n'habite ici, mais vous vous approchez quand même de la porte que vous essayez d'ouvrir. Elle est fermée à clé et vous frappez au panneau en espérant que quelqu'un se trouve encore dans les lieux. Vos espoirs ne sont pas déçus : au bout de quelques instants, on vient en effet vous ouvrir. C'est un vieil homme au regard triste et larmoyant qui apparaît dans l'entrebâillement de la porte.

— Que voulez-vous ? demande-t-il d'une voix faible.

Vous lui expliquez que vous cherchez le domestique qui a été témoin du meurtre de Thibaud de Ponsac.

— Bastien ? Qu'est-ce que vous lui voulez ? interroge le vieillard d'un air soupçonneux.

— J'étais un ami de monsieur de Ponsac, prétendez-vous, et comme ce... ce Bastien est la dernière personne à l'avoir vu vivant...

— Je comprends, dit le vieil homme d'un ton navré. Ah, quel grand malheur... Monsieur était si bon... J'espère que son assassin subira le châtiment qu'il mérite !

— Je le souhaite également, déclarez-vous avec sincérité.

— Maudit soit ce Hensock Lefollet qui a tué mon maître ! s'écrie le vieil homme de sa voix chevrotante, trente ans, voilà trente ans que je suis entré au service de monsieur de Ponsac, trente ans que je garde fidèlement sa porte, et je continuerai à la garder jusqu'à ma propre mort, croyez-le bien !

Inutile d'essayer de faire comprendre à ce vieillard que Hensock n'est pas l'assassin de son maître, il ne vous croirait pas. Mieux vaut lui poser les questions qui vous préoccupent.

— Où pourrais-je trouver Bastien ? demandez-vous au vieil homme.

— Ah, pauvre Bastien, lui aussi a été bien chagriné de la mort de notre maître. Il ne le servait que depuis trois semaines, mais il lui portait déjà autant d'affection que nous tous. Un bien brave homme, Bastien !

— Et où puis-je le trouver ? répétez-vous avec patience.

— Il sert un nouveau maître à présent, pauvre Bastien !

Ces lamentations commencent à vous énerver, mais vous vous efforcez de n'en rien laisser paraître et c'est du ton le plus aimable que vous demandez :

— Savez-vous qui est ce nouveau maître ?

— Oui, il me l'a dit, il s'appelle Archibald de Joubeuf.

— Et où habite monsieur de Joubeuf ? interrogez-vous.

— Je l'ignore, Bastien ne m'en a rien dit, pauvre Bastien ! Je crois que c'est en dehors de Paris, mais je ne sais pas où. D'ailleurs, je ne sors jamais d'ici. Même après sa mort, je garde la porte de Monsieur... Mais vous n'aurez pas de mal à trouver monsieur de Joubeuf. C'est, paraît-il, un riche et puissant seigneur. Allez donc chez lui et vous demanderez Bastien. Bastien Frontouillard, c'est son nom. Pauvre Bastien !

Ce vieillard vient de vous donner un renseignement

utile, mais vous souhaiteriez obtenir davantage : visiter, notamment, la pièce dans laquelle a eu lieu le meurtre de Thibaud de Ponsac. Vous en faites la demande au vieil homme qui semble hésitant.

— C'est que... personne n'est entré dans cette pièce depuis... depuis le drame. Les policiers ont été les derniers...

Qu'allez-vous faire pour essayer de convaincre le portier de vous amener dans la pièce que vous voulez inspecter ?

Lui offrir un écu ?	Rendez-vous au **147**
Lui dire avec des trémolos dans la voix que vous voulez jeter un dernier regard à l'endroit où est mort votre ami ?	Rendez-vous au **164**
Lui ordonner d'un ton sans réplique de vous montrer cette pièce ?	Rendez-vous au **81**

13

Pourquoi donc teniez-vous tant à conserver votre robe ? Cette erreur vous est fatale. La flamme de la torche que vous avez posée sur la gouttière met en effet le feu à votre vêtement et en un instant, vous êtes devenue vous-même une torche vivante. Vivante, mais plus pour longtemps, hélas, car la douleur fulgurante que vous ressentez vous fait lâcher prise et vous vous écrasez sur les pavés de la cour, en contrebas. Inutile d'espérer en réchapper, la chute est trop rude : vous êtes tuée sur le coup. Et cela, à cause d'une robe dont vous n'aviez finalement que faire. A quoi tient la vie !

14

Voici donc la cape de Bastien Frontouillard et les « masques de sang » derrière lesquels il dissimule son visage d'assassin. Vous pouvez prendre l'un de ces masques si vous le désirez. Cette découverte ne fait que confirmer ce que vous saviez déjà. Vous ne trouvez rien d'autre dans ce placard et il est temps, à présent, de revenir dans le petit salon. Vous retournez donc vous asseoir. Un instant plus tard, vous entendez des pas qui se rapprochent : le domestique revient vous chercher. Rendez-vous au **130**.

15

Des hommes, des femmes, des enfants se pressent autour d'une fosse dont on ne peut s'approcher qu'en passant une barrière ; il en coûte 30 sols pour avoir le droit d'assister au spectacle qui va se donner là. Si vous souhaitez payer ce prix, rendez-vous au **198**. Si vous préférez poursuivre votre chemin, rendez-vous au **141**.

16

— Ainsi vous avez vu les traits de ce misérable ! s'exclame Eloi de Courtemare. Pourriez-vous me décrire son visage ?
Si vous avez le talent de DESSINATEUR, rendez-vous au **244**. Sinon, rendez-vous au **70**.

17

La musique s'élève tandis que les danseurs face à face s'inclinent avec grâce dans une minutieuse harmonie de gestes convenus. Vous emboîtez le pas à M. de Courtemare qui semble faire exprès de se laisser rattraper au moment où il s'apprête à franchir une porte, au fond du grand salon. Soudain, il se tourne vers vous.

— Coule le sang du peuple, chuchote-t-il alors à votre oreille.

— Quoi ? vous étonnez-vous.

— C'est le mot de passe, suivez-moi à distance.

L'homme a parlé trop bas pour qu'il vous soit possible de deviner si sa voix est bien celle de M. de Courtemare. Quoi qu'il en soit, vous le suivez comme il vous l'a indiqué et vous le voyez bientôt monter un escalier qui mène dans les combles de la maison. Il pousse ensuite une porte et vous fait discrètement signe d'avancer. A votre tour, vous franchissez la porte. Un homme au masque rouge se tient debout près du chambranle.

— Par le sang du seigneur... murmure-t-il à votre oreille.

Il penche alors la tête vers vos lèvres, comme s'il attendait une réponse.

— Coule le sang du peuple, chuchotez-vous.

Aussitôt, il vous fait entrer dans un grenier éclairé par des torches fixées aux murs. Cinq autres personnes, quatre hommes et une femme, sont assises autour d'une table. Vous n'avez aucune idée de l'identité de cette femme, ni d'ailleurs de celle des autres participants à la réunion. On vous fait signe de prendre place à côté de M. de Courtemare. Vous vous asseyez et vous attendez. L'homme qui vous a fait entrer vient s'asseoir à son tour. Il règne alors un long moment de silence que vous mettez à profit pour vous rendre au **105**.

18

Pourquoi donc teniez-vous tant à conserver votre redingote ? Cette erreur vous est fatale. La flamme de la torche que vous avez posée sur la gouttière met en effet le feu à un pan de votre vêtement et en un instant, vous devenez vous-même une torche vivante. Vivante, mais plus pour longtemps, hélas, car la douleur fulgurante que vous ressentez vous fait lâcher prise et vous vous écrasez sur les pavés de la cour, en contrebas. Inutile d'espérer en réchapper, la chute est trop rude : elle vous tue sur le coup. Et cela, à cause d'une redingote dont vous n'aviez finalement que faire. A quoi tient la vie !

19

Vous vous approchez de la bibliothèque et vous lisez les titres des livres. Il s'agit, pour la plupart, d'ouvrages à caractère scientifique ou philosophique. Vous essayez de prendre l'un d'eux mais vous ne parvenez pas à le faire glisser vers vous. Vous tirez plus fort et soudain, c'est toute la rangée de livres qui vous tombe dessus ! Mais en fait, ce ne sont pas de vrais livres, il s'agit de simples couvertures vides collées les unes aux autres. Cette bibliothèque est fausse, elle est seulement destinée à la décoration et à faire croire que M. de Joubeuf est un homme cultivé. Vous espérez au moins découvrir quelque document caché derrière ces livres factices, mais vous avez beau chercher, vous ne trouvez rien. Il ne vous reste plus qu'à remettre tout en place. Lorsque vous en avez terminé, vous entendez des pas qui se rapprochent. Le domestique est de retour et vous retournez vous asseoir en attendant qu'il vienne vous chercher. Rendez-vous au **130**.

20

— A la bonne heure ! s'exclame l'homme. Donnez-moi un louis d'or et choisissez votre champion : tigre ou verrat ? Verrat ou tigre ?
Faites votre choix en évaluant la force des deux adversaires qui se trouvent chacun enfermé dans une

20 *Donnez-moi un louis d'or et choisissez votre champion : tigre ou verrat ? Verrat ou tigre ?*

cage. Pour vous aider, voici leurs points respectifs de MAÎTRISE et de FORCE :

	MAÎTRISE	FORCE
TIGRE	15	15
VERRAT	13	18

Sans doute le verrat est-il moins puissant que le tigre, mais il est plus robuste, sa couche de graisse le protégeant mieux des blessures. Lorsque vous aurez choisi votre préféré, vous mènerez vous-même le combat entre les deux animaux. Pour calculer les blessures qu'ils s'infligeront, reportez-vous aux indications habituelles si les dés donnent 2, 9, 10, 11 ou 12. S'ils donnent 3 ou 4, l'animal aura été blessé à la mâchoire, aux griffes (pour le tigre) ou aux sabots (pour le verrat), qui constituent leurs armes naturelles. Une telle blessure entraînera une perte de 3 points de FORCE et de 1 point de MAÎTRISE. Enfin, si les dés donnent 5, 6, 7 ou 8, l'animal aura été blessé à l'une de ses pattes, ce qui lui coûtera une perte de 2 points de FORCE.

Menez ce combat jusqu'à son terme (et sans tricher !) puis rendez-vous au **34** si l'animal sur lequel vous avez parié a gagné ou au **127** dans le cas contraire.

21

Dans un effort de volonté, vous essayez de vous relever, mais vous n'y parvenez pas. Vous avez sans nul doute absorbé un poison. Les champignons ! Ils étaient vénéneux ! L'homme au masque rouge répète sa question et vous ne pouvez vous empêcher de lui répondre la vérité. Une force invincible détruit en vous toute tentative de résistance, vous n'êtes plus qu'un agneau docile, incapable de se défendre. En quelques minutes, vous avez tout expliqué à l'homme masqué : qui vous êtes, la nature de votre mission, le résultat de vos recherches. Lorsque vous en avez terminé, l'homme tire de sa ceinture un long poignard à la lame fine et pointue. Un instant plus tard, il vous l'a plantée dans le cœur avec une dextérité peu commune et vous mourez sur le coup. Votre aventure se termine ici, vous ne reverrez jamais le Royaume du Temps et pire que tout : vous avez trahi les vôtres...

22

Si vous connaissez déjà le nom de l'homme au masque rouge, rendez-vous au **256**. Sinon, rendez-vous au **269**.

23

La musique s'élève tandis que les danseurs face à face s'inclinent avec grâce dans une minutieuse harmonie de gestes convenus. Vous emboîtez le pas à M. de Courtemare qui semble faire exprès de se laisser rattraper au moment où il s'apprête à franchir une porte, au fond du grand salon. Soudain, il se tourne vers vous.

— Suivez-moi à distance, chuchote-t-il alors à votre oreille. Attendez que la porte du grenier soit refermée. Il y a une petite ouverture derrière l'angle du couloir. Vous pourrez voir et entendre. N'apparaissez pas, surtout...

L'homme a parlé trop bas pour qu'il vous soit possible de deviner si sa voix est bien celle de M. de Courtemare. Quoi qu'il en soit, vous le suivez comme il vous l'a indiqué et vous le voyez bientôt monter un escalier qui mène dans les combles de la maison. Il pousse ensuite une porte et vous fait discrètement signe de rester en arrière. Un instant plus tard, la porte se referme. Vous attendez un peu, puis vous vous avancez le long du couloir dans lequel cette porte est aménagée. Plus loin, le couloir forme un angle. Vous le contournez et vous apercevez en effet près du plafond une petite fente dans le mur, à travers laquelle filtre de la lumière. Une commode apparemment vide est abandonnée au fond du couloir ; vous la déplacez silencieusement sous la fente et vous grimpez dessus. En collant votre œil contre l'ouverture, vous parvenez alors à voir distinctement l'intérieur d'un grenier éclairé par des torches fixées aux murs. Six personnes en tout, cinq hommes et une femme, sont assises autour d'une table. Vous n'avez aucune idée de l'identité de cette femme, ni d'ailleurs de celle des autres participants à la réunion — à l'exception, bien sûr, de M. de Courtemare. Les six personnes restent muettes pendant un bon moment et vous mettez à profit ce long moment de silence pour vous rendre au **105**.

Vous allez pouvoir faire des achats dans trois boutiques différentes. Que souhaitez-vous acheter ?

Des armes ?   Rendez-vous au **53**

Des vêtements ?   Rendez-vous au **138**

Une selle pour votre
cheval ?
                                     Rendez-vous au **11**

Lorsque vous aurez terminé vos emplettes, vous reviendrez à ce numéro. Il vous faudra alors décider de la suite de votre emploi du temps. Que souhaiterez-vous faire que vous n'ayez déjà fait ?

Vous rendre chez un certain
Mouillard, graveur ?   Rendez-vous au **131**

Aller louer la chambre 4 à
l'auberge du Pont-Marie ?   Rendez-vous au **143**

Retourner chez M. de la
Gaillottière en espérant
qu'on vous donnera des
nouvelles de sa santé ?   Rendez-vous au **155**

Essayer de retrouver la
trace du domestique qui a
assisté au meurtre de Thibaud de Ponsac ?
                                     72

L'homme à la voix solennelle vous arrache votre masque. Il vous dévisage lentement, puis s'exclame :
— Le prince russe ! Le prince russe est une femme ! Ignoble traîtresse ! Attachez-la, vous autres !
Les choses tournent mal pour vous ! Préparez-vous

à affronter de grandes difficultés en vous rendant au **184**.

26

Félicitations ! Vous avez été si rapide que l'homme n'a pas eu le temps de réagir et vous vous enfuyez à présent sur son cheval tandis qu'il s'égosille derrière vous en criant au voleur. Ce n'était pas très honnête de lui dérober sa monture, mais votre mission doit passer avant tout le reste. Vous décidez cependant de jeter 2 louis d'or par-dessus votre épaule en guise de dédommagement. L'homme s'arrête aussitôt de hurler et vous pouvez donc partir la conscience tranquille. Rendez-vous à présent au **98**.

27

— J'ai réussi à m'y infiltrer, explique votre sœur. Malheureusement, j'ignore l'identité des autres membres. L'anonymat est scrupuleusement respecté par tous les frères.

— Tu ne sais pas qui est cette femme ?

— Une marquise, d'après les indices que j'ai pu obtenir, mais je ne crois pas qu'elle ait un rôle très important à jouer dans toute cette affaire.

— Et si c'était Mme de Sainte-Mouffle elle-même ?

— Impossible ; malgré son masque, la comtesse était reconnaissable parmi les invités.

— Imagine que ce soit quelqu'un d'autre qui ait joué le rôle de Mme de Sainte-Mouffle recevant ses hôtes, tandis que celle-ci participait en fait à la réunion ?

— Un peu tordu, comme raisonnement. A propos, je ne t'ai pas entendu me remercier.

Cette réflexion vous met en rage, mais il est vrai que vous auriez pu avoir un mot de gratitude pour votre sœur qui vous a permis de recueillir des informations précieuses.

— Je te remercie, ma très chère sœur, lancez-vous d'un ton pincé. Et maintenant ? Que faisons-nous ?

— Je te propose de nous mêler de ce transfert d'armes qui doit avoir lieu à 4 h du matin sur la Seine. Je sais par où les armes seront apportées sur le bateau et je dispose moi-même d'une embarcation qui va nous servir à contrecarrer ce projet.

— A deux, nous risquons de n'être pas suffisamment nombreux, faites-vous remarquer.

— Attends de connaître mon plan.

C'est un plan simple en vérité : lorsque les hommes du Masque de Sang auront chargé les armes sur leur bateau, vous les suivrez à distance sur une autre embarcation, puis vous attendrez l'occasion de les éperonner.

— Leur bateau est moins solide que le mien, déclare votre sœur, nous parviendrons ainsi à couler leur cargaison. Nous aurons sans doute à nous battre, mais j'imagine que cela ne te fait pas peur ? Il est essentiel que nous détruisions ces armes et que nous empêchions l'attentat qui doit être commis à l'aide de la montgolfière. La vie de centaines de personnes en dépend, ainsi que la réussite de notre mission.

Elle a raison, vous ne pouvez que l'approuver et vous acceptez donc de l'aider à réaliser son plan. Vous vous dirigez vers la Seine, à l'endroit où votre sœur a amarré son bateau. C'est une lourde embarcation munie d'une voile. Vous montez à bord après avoir attaché vos chevaux et vous glissez sur l'eau du fleuve jusqu'au Pont-Marie. Là, vous cachez votre bateau parmi d'autres embarcations. De votre point d'observation, vous pouvez surveiller l'entrée d'un passage situé en contrebas du quai Saint-Paul. D'après votre sœur, c'est là qu'aboutit un souterrain qui part des sous-sols de l'auberge du Pont-Marie. Les armes que vous aviez vues dans la cave ont été entreposées dans ce sous-sol dont vous ignoriez l'existence. De là, elles seront amenées jusqu'à la Seine, puis chargées à bord du bateau. C'est votre sœur qui vous donne toutes ces précisions et vous êtes quelque peu vexé de n'avoir pas fait ces découvertes vous-même, mais tant pis, l'essentiel étant que vous le sachiez, désormais. A présent, il ne vous reste plus qu'à attendre. Si vous n'avez pas encore eu l'occasion de faire un somme cette nuit, vous avez le temps de dormir un peu, ce qui vous fera gagner 2 points de FORCE. Mais attention : si vous avez déjà dormi précédemment, plus question de vous laisser aller au sommeil ! Vers 4 heures, une lumière s'allume enfin à l'entrée du passage. Des hommes apparaissent et vous les observez, silencieux. Bientôt, le moment sera venu d'agir. Rendez-vous au **35**.

28

— Quel dommage que l'homme au masque rouge ait réussi à s'enfuir ! soupire Eloi de Courtemare. En tout cas, ce passage secret reliant la chambre 4 à la cave explique bien des choses. Le baron de la Gaillottière avait peut-être fait lui-même cette découverte. Ah ! Si seulement il pouvait parler !

— J'espère au moins que le commissaire Du Réner révisera son jugement quand il verra cette cave et ce qu'elle contient, déclarez-vous.

— Toutes ces armes sont sans nul doute destinées à la confrérie du Masque de Sang, et je crains qu'elles ne servent de bien noirs projets.

— La police les saisira, faites-vous remarquer.

— Je l'espère... répond Eloi de Courtemare d'un air énigmatique. Que comptez-vous faire à présent ?

— Que me conseillez-vous ?

— Pourquoi n'iriez vous pas chez Joudebeuf, pardon, chez « Monsieur *de* Joubeuf » ? Bastien Frontouillard, son domestique, l'homme qui a assisté au meurtre de Thibaud de Ponsac, pourra peut-être vous donner quelques renseignements utiles.

Le conseil vous paraît bon et vous décidez en effet de vous rendre à Auteuil où habite Archibald Joudebeuf, dit « de Joubeuf ». Rendez-vous pour cela au **40**.

29

La rue de Varenne se trouve tout près de l'endroit où vous êtes et il ne vous faut que quelques minutes pour y arriver. A l'angle de la rue du Bac, vous vous arrêtez un instant et vous considérez l'hôtel de la comtesse de Sainte-Mouffle. C'est une noble et haute maison à la façade élégante et au portail de chêne sculpté. Eloi de Courtemare ne vous a pas menti : de toute évidence, la comtesse est riche ! Vous allez donc avoir affaire à une représentante de la haute aristocratie parisienne, ce qui ne vous impressionne guère, étant vous-même de sang royal, mais peut-être serait-il bon d'adopter un autre nom que « Lefollet » pour rendre visite à cette dame. Un nom qui vous pose d'emblée comme aristocrate à part entière. Mieux vaut d'ailleurs ne pas choisir un patronyme français, car tous les nobles de ce pays se connaissent et l'on aurait tôt fait de découvrir l'imposture. Dans la réalité, vous avez rang princier, aussi, pourquoi ne pas vous présenter comme prince ? Au Royaume du Temps, on vous a enseigné que les princes étaient légion en certaines contrées, en Russie, par exemple. Le rôle de prince russe vous conviendrait à merveille et il ne vous sera pas difficile de le jouer auprès de la comtesse de Sainte-Mouffle. Un instant de réflexion vous suffit pour vous inventer un nouveau nom : vous appartenez au peuple des Pérenniens, vous vous appellerez donc Perenniov. Quant au prénom, ce sera tout bonnement Igor Ivanovitch, prénom banal, sans doute, pour un Russe, mais qui fera parfaitement l'affaire en l'occurrence. Sous votre nouvelle identité de prince Igor Ivanovitch Perenniov, vous vous avancez à présent dans la cour de l'hôtel de la comtesse et vous mettez pied à terre. Un valet vient aussitôt à votre rencontre en vous contemplant d'un air surpris. Son regard s'attarde notamment sur votre épée, comme si elle lui semblait incongrue en un tel lieu.

— Madame de Sainte-Mouffle reçoit-elle aujourd'hui ? demandez-vous d'une voix sonore en vous efforçant de rouler les « r » à la russe.

— Qui dois-je annoncer, Monsieur ? s'enquiert le valet.

— Prince Igor Ivanovitch Perenniov, lancez-vous d'un ton péremptoire. Je suis un ami de... du baron de la Gaillottière.

— Bien, Monsieur.

L'homme vous introduit dans une antichambre et vous demande de patienter un instant. Vous voici donc dans une petite pièce meublée de quelques fauteuils et dont les murs sont tendus de draperies mauves. Le domestique a disparu par une double porte ; une autre porte, aménagée dans le mur de droite, attire votre attention. Si vous souhaitez ouvrir cette porte, rendez-vous au **39**. Si vous préférez attendre qu'on vienne vous chercher, rendez-vous au **151**.

30

Si vous possédez un pistolet à plusieurs coups, rendez-vous au **42**. Si votre pistolet ne peut tirer qu'une seule balle avant d'être rechargé, rendez-vous au **103**.

Si vous êtes allée chez M. de Joubeuf aujourd'hui, rendez-vous au **274**. Dans le cas contraire, rendez-vous au **277**.

La porte s'ouvre sans difficulté et vous suivez un couloir qui mène dans les communs. Il est peu probable que vous trouviez quelque chose d'intéressant dans les cuisines ou la buanderie, en revanche, vous remarquez un placard que vous avez envie d'inspecter. Vous en ouvrez la porte et vous découvrez des vêtements pendus à des crochets. Des vêtements qui, apparemment, n'ont rien de remarquable, à part l'un d'eux : il s'agit d'une cape rouge. Le placard contient également une petite boîte dans laquelle sont rangés une demi-douzaine de masques rouges.

Si vous avez réussi à arracher le masque de votre agresseur de la nuit précédente et que vous ayez dessiné le portrait de cet homme pour le montrer à M. de Courtemare, rendez-vous au **14**. Si vous n'avez pas vu les traits de votre agresseur, rendez-vous au **194**.

— Nous ne tarderons pas à être débarrassés de ce soi-disant prince Perenniov, assure l'homme. D'ailleurs, il ne peut rien contre nous, il est surveillé de près et n'a à Paris aucun ami. Pour l'instant, nous le laissons s'agiter en vain, bientôt, il sera définitivement neutralisé.

« Surveillé de près » ? Pas en ce moment, en tout cas ! Reste à savoir comment on compte vous « neutraliser ».

— Frères, notre réunion s'achève. Notre cause triomphera, la monarchie sera divine et absolue, c'est la volonté de Dieu et que par le sang du Seigneur...

— Coule le sang du peuple, répètent en chœur les membres de la confrérie.

— Notre prochaine réunion aura lieu en séance plénière demain soir au lieu habituel. Retournons danser, à présent, après tout, il faut faire honneur à notre hôtesse.

Un grand éclat de rire accueille ces dernières paroles et tout le monde se lève. Qu'allez-vous faire ?

Rester où vous êtes et attendre que tout le monde soit parti pour redescendre ?
Rendez-vous au **249**

Sauter à bas de votre commode pour redescendre au salon avant que les frères aux masques de sang soient sortis de la pièce ?
Rendez-vous au **230**

— J'ai gagné ! vous exclamez-vous en vous tournant vers l'homme qui a pris votre pari.

Malheureusement, tandis que vous concentriez votre attention sur le déroulement du combat, l'homme a filé avec votre louis d'or ; vous avez beau essayer de le retrouver dans la foule, il a bel et bien disparu et vous pouvez dire adieu à votre pièce. Voilà bien les Parisiens : ils n'ont pas leur pareil pour berner les étrangers ! Vous êtes à présent d'une humeur massacrante — on le serait à moins — et vous vous hâtez de quitter les lieux en maugréant contre l'exécrable filou. Vous remontez sur votre cheval blanc, puis vous poursuivez votre chemin. Rendez-vous au **141**.

Le chargement prend plus d'une heure. Lorsqu'il est terminé, les hommes du Masque de Sang larguent les amarres et remontent la Seine. Une simple lanterne éclaire leur bateau et vous ne parvenez pas à distinguer combien d'hommes sont à bord. Vous hissez aussitôt la voile et vous les suivez à distance en prenant soin de n'allumer aucune lumière sur votre propre embarcation. La poursuite lente et silencieuse dure ainsi une bonne demi-heure. Enfin, alors que le bateau du Masque de Sang décrit une courbe pour contourner une petite île, vous décidez tous deux de saisir cette occasion. Votre embarcation est rapide et un fort vent souffle en rafales. Manœuvrant habilement, vous parvenez ainsi à vous élancer à vive allure vers vos ennemis. Dans la nuit noire, les hommes du Masque de Sang ne vous ont pas vus arriver et lorsque votre bateau surgit brusquement dans l'obscurité, ils n'ont pas le temps d'exécuter la moindre manœuvre pour vous éviter. La proue de votre embarcation heurte avec violence l'autre bateau par le travers. C'est alors que vous constatez qu'il y a 11 hommes à bord ! C'est un nombre d'adversaires un peu trop élevé pour vous deux. Heureusement, le bateau du Masque de Sang, déséquilibré

par le choc, manque de chavirer et une brèche s'ouvre en son flanc. Lancez un dé. Si vous obtenez un chiffre pair, 6 hommes du Masque de Sang tombent à l'eau et il vous en reste 5 à affronter. Si vous obtenez un chiffre impair, ce sont 5 hommes seulement qui passent par-dessus bord, vous laissant face à 6 adversaires. Une bataille épique s'annonce !

Si vous êtes le Prince du Temps, rendez-vous au **43**.
Si vous êtes la Princesse du Temps, rendez-vous au **102**.

35 *Une bataille épique s'annonce !*

Vous racontez à M. de Courtemare votre découverte du médaillon et la visite que vous avez faite à Clotilde de Sainte-Mouffle. Votre interlocuteur vous écoute en hochant la tête ; visiblement, vos révélations l'intriguent.

— Je savais le baron très ami de la comtesse de Sainte-Mouffle, mais je suis également certain qu'il n'en était pas le moins du monde amoureux. Aussi, qu'avait-il donc à faire de ce médaillon ? Monsieur de Ponsac le lui a-t-il donné ? L'a-t-il trouvé quelque part ? Voilà qui pourrait avoir un rapport avec toute l'affaire.

— Connaissez-vous également madame de Sainte-Mouffle ? demandez-vous.

Rendez-vous au **166** pour connaître la réponse d'Eloi de Courtemare.

Le repas que vous venez de faire ayant été exceptionnellement copieux, ce n'est pas 2, mais 3 points de FORCE que vous récupérez, à condition bien entendu que votre nouveau total ne dépasse pas celui dont vous disposiez au début de votre aventure. Vous décidez à présent d'examiner en détail la chambre 4 où l'on a introduit, à l'insu de Hensock le Follet, l'arme qui a servi à tuer Thibaud de Ponsac. Cette chambre n'a rien d'extraordinaire et vous avez beau l'inspecter minutieusement, vous ne découvrez pas le moindre indice. En désespoir de cause, vous estimez préférable de vous coucher. Si vous avez acheté des vêtements, ils vous ont été livrés dans la soirée, réunis dans un sac que vous pourrez emporter facilement en cas de besoin. Après avoir soigneusement verrouillé la porte et fermé les volets de la fenêtre, vous vous mettez au lit, vous baissez la flamme de votre lampe à huile afin de la laisser en veilleuse et vous réfléchissez à tout ce qui vous est arrivé aujourd'hui. Au bout d'un moment, la fatigue vous gagne et vous vous endormez. Si vous avez soupé dans votre chambre et que vous ayez mangé les champignons qui accompagnaient les aiguillettes de perdrix, rendez-vous au **63**. Dans le cas contraire, rendez-vous au **167**.

38

Comme vous pouviez vous en douter, c'est Bastien Frontouillard qui s'apprêtait à prendre place à bord de l'aérostat. En vous voyant vous précipiter vers lui, il tente de monter dans la nacelle. Si vous êtes armée d'une épée et que vous n'ayez pas de pistolet, rendez-vous au **71**. Si vous possédez un pistolet, rendez-vous au **83**.

39

La porte n'est pas fermée à clé. Elle donne sur un petit couloir que vous longez. Au fond se trouve une autre porte derrière laquelle vous entendez quelqu'un parler. Vous vous approchez sans faire de bruit et vous tendez l'oreille.

— Un prince russe ? dit une voix d'homme. Et comment s'appelle-t-il ?

— Igor Ivanovitch Perenniov, répond une autre voix que vous reconnaissez : c'est celle du domestique qui vous a fait entrer.

— Serait-il mêlé à l'affaire ? reprend la première voix. En tout cas, il faut le tenir à l'œil. Va prévenir la comtesse et essaye d'en savoir plus.

Vous entendez alors des bruits de pas qui s'éloignent. Le domestique est sans doute allé vous annoncer à Mme de Sainte-Mouffle. Vous donneriez cher pour savoir qui est la personne avec laquelle il s'entretenait, mais il serait trop risqué d'ouvrir la porte et vous revenez donc sagement dans l'anti-chambre où vous vous rasseyez en attendant qu'on vienne vous chercher. Rendez-vous au **151**.

40

Si vous êtes le Prince du Temps, rendez-vous au **6**.
Si vous êtes la Princesse du Temps, rendez-vous au **109**.

41

Vous avez réussi à monter sur le cheval mais vous n'avez pas été suffisamment rapide pour éviter le coup de couteau que l'homme vous a donné. Vous avez reçu une blessure et il vous faut à présent lancer un dé pour en évaluer la gravité selon les indications qui vous ont été fournies. Rectifiez en conséquence votre total de FORCE puis hâtez-vous de quitter les lieux tandis que le meunier s'égosille derrière vous en criant au voleur. Rendez-vous au **159**.

42

Votre adversaire, lui, n'a qu'un pistolet à un coup. Voyant que vous pouvez encore tirer, il s'immobilise et vous vous précipitez sur lui. L'homme n'ose plus faire un geste et vous n'avez aucun mal à lui arracher son masque. Jamais vous n'avez vu ce visage, mais il ne fait aucun doute qu'il restera gravé dans votre mémoire. Le personnage a une quarantaine d'an-nées, des traits épais, un nez fort et retroussé, des sourcils touffus qui lui donnent un air féroce et des yeux d'un bleu délavé.

— Qui êtes-vous ? lui demandez-vous d'un ton brusque.

A ce moment, la chandelle, dont la flamme éclairait faiblement la cave, s'éteint. Il règne soudain une obscurité totale et l'homme à la cape rouge en profite pour s'échapper. Vous entendez presque aussitôt une porte claquer, des pas précipités qui s'éloignent, puis plus rien. Inutile de poursuivre votre adversaire, vous ne parviendriez pas à le rattraper. Si cela vous chante, vous pouvez prendre le masque qui dissimulait son visage. Vous remontez ensuite l'escalier jusqu'à la chambre où vous prenez votre lampe, puis vous redescendez pour examiner la cave. Rendez-vous au **190**.

43

— Prends cette arme ! s'écrie votre sœur en vous lançant une épée qu'elle conservait dans son bateau. Si vous devez combattre 5 adversaires, vous en affronterez 3 vous-même et votre sœur 2. S'ils sont 6, vous en affronterez 4 et votre sœur 2. Vous pourrez vous battre soit à l'épée, soit au pistolet si vous en possédez un. Votre sœur, elle, se bat seulement à l'épée. L'eau qui s'est engouffrée par la brèche a mouillé la poudre contenue dans le bateau du Masque de Sang. Vos ennemis ne peuvent donc pas se servir de leur arsenal. L'un d'eux, cependant, dispose d'un pistolet à un coup. Si vous l'affrontez à l'épée, il vous infligera automatiquement une blessure au 1er Assaut. Calculez la gravité de cette blessure, puis continuez le combat normalement : l'homme n'ayant pas le temps de recharger se battra ensuite à l'épée. Si vous l'affrontez au pistolet, vous vous reporterez aux règles habituelles. Votre sœur possède le même total de FORCE que vous, mais elle a 2 point de MAÎTRISE en moins. Répartissez les adversaires à votre convenance. C'est votre sœur qui doit se battre la première. Si elle tue ses adversaires, elle pourra vous prêter main-forte pour combattre l'un des vôtres, et un seul. Vous livrerez alors chacun un Assaut, à tour de rôle jusqu'à la victoire... ou la défaite. Vous devrez obligatoirement vous battre seul contre vos adversaires restants.

	MAÎTRISE	FORCE
HOMME AU PISTOLET	16	12
2e HOMME	15	11
3e HOMME	15	11
4e HOMME	14	12
5e HOMME	16	15
6e HOMME	15	13

Si vous ne devez affronter que 5 adversaires, vous pouvez faire tomber à l'eau celui qui vous convient, *à l'exception* de l'homme au pistolet que votre sœur ou vous devrez obligatoirement combattre. Si vous possédez un pistolet et que vous souhaitiez vous en servir contre un adversaire armé d'une simple épée, vous pourrez le faire, mais sachez que vous n'aurez pas le temps de le recharger. Une fois votre pistolet vide, vous devrez en revenir à l'épée, *même si vous devez ensuite combattre l'homme au pistolet.* Tant que vous pourrez faire usage de votre pistolet — selon le modèle que vous avez acheté — contre un ennemi armé d'une épée, vous lancerez un dé à chaque assaut et vous augmenterez votre total de MAÎTRISE d'autant de points que le chiffre obtenu. Si vous remportez la victoire, rendez-vous au **136**. Si votre sœur est tuée, rendez-vous au **108**. Enfin, si vous préférez tenter un coup d'audace, rendez-vous directement au **144** sans vous battre.

44

— Désolé, mais Monsieur de Joubeuf ne peut vous recevoir, annonce le domestique.

— Et pourquoi, s'il vous plaît ? répliquez-vous d'un ton vexé.

— Heu... Monsieur a... beaucoup d'affaires en cours... répond le domestique, mal à l'aise.

— Beaucoup d'affaires dans le parc ?

— Monsieur prépare un vol...

— Un vol ! vous exclamez-vous.

— Un vol d'aérostat, précise le domestique. Monsieur doit faire demain une démonstration au Champs de Mars. Il survolera Paris dans son ballon.

— Et le ballon est dans le parc ? demandez-vous.

— Oui, Monsieur.

— Dites-moi, connaissez-vous un certain Bastien Frontouillard qui est au service de monsieur de Joubeuf ?

— Oui, Monsieur.

— Je souhaiterais le rencontrer.

— C'est que... Bastien est avec Monsieur dans le parc.

— Pouvez-vous le faire venir ?

— Ce sera difficile, Monsieur a besoin de lui.

— Très bien, dans ce cas, j'irai le trouver moi-même.

D'un pas décidé, vous quittez le salon puis vous sortez dans le parc, suivi du domestique qui ne sait comment réagir.

— Monsieur, dit-il en s'essoufflant derrière vous, je... j'ai reçu l'ordre de ne pas déranger monsieur de Joubeuf et...

— Il ne sera pas dérangé, répliquez-vous.

En arrivant au fond du parc, vous apercevez un peu plus loin une vaste clairière dans laquelle plusieurs hommes s'affairent autour d'un énorme ballon retenu au sol par des cordages. Apparemment, on est en train de fixer une nacelle à l'aérostat. Un homme d'une cinquantaine d'années vêtu avec une élégance criarde donne des ordres en gesticulant d'un air autoritaire.

— Cet homme, c'est M. de Joubeuf, je suppose ?
demandez-vous au domestique.

— En effet, Monsieur.

Si, la nuit dernière, vous avez réussi à arracher le
masque de votre agresseur, rendez-vous au **161**.
Dans le cas contraire, rendez-vous au **67**.

45

— Je m'appelle... commencez-vous.

Mais quel nom donner ? Pas Églantine, bien sûr, puisque vous êtes habillée en homme. Le premier prénom
qui vous passe par la tête est celui de Timothée,
autant l'adopter, pour le moment tout au moins.

— Je m'appelle Timothée Lefollet...

— Lefollet ? s'étonne le commissaire, voilà qui est
étrange, seriez-vous parent d'un dénommé Hensock
Lefollet, coupable d'assassinat et de complot ?

— Je suis en effet son parent, mais il n'est pas coupable ! répondez-vous avec force.

— Le baron de la Gaillottière pensait comme vous,
c'est ce qu'il m'a soutenu au cours de l'entretien que
nous avons eu il n'y a pas dix minutes. Il venait de
prendre congé lorsqu'il a été attaqué : j'ai vu commettre le forfait de ma fenêtre. Mais j'ai seulement
aperçu la cape rouge de l'assassin. Je n'ai pas pu distinguer les traits de son visage. Et vous ?

Rendez-vous au **153** pour répondre à la question du
commissaire.

46

Si vous avez donné rendez-vous à M. de Joubeuf à 7
h 30 place Dauphine pour qu'il vienne vous chercher, rendez-vous au **77**. Sinon, rendez-vous au **149**.

47

Vous regardez le chien droit dans les yeux d'un air

féroce et l'animal s'immobilise tout aussitôt. Votre talent de ZOOLOGISTE vous donne le pouvoir de l'impressionner au point qu'il semble maintenant paralysé devant vous.

— Allons, Maurice, attaque ! lui crie son maître.

Mais c'est en vain : le molosse n'ose plus faire le moindre mouvement dans votre direction et il se réfugie dans un coin du fiacre en poussant de petits jappements plaintifs. Le cocher est trop lâche pour vous attaquer lui-même et il préfère donc abandonner les lieux ; mais au moment de repartir, il vous lance un coup de fouet, sachant que, de toute façon, vous ne pourrez rattraper sa voiture. C'est là un geste d'une très grande vilenie, mais qui n'est pas rare chez des personnages de cette espèce. Pour savoir si la lanière du fouet va vous blesser, jetez un dé. Si vous obtenez 1 ou 6, vous aurez reçu une blessure qui vous infligera une perte de 1 point de FORCE. Si le dé vous donne tout autre chiffre, le cocher aura raté son coup et vous ne subirez aucune pénalité.

Avec un sentiment de fureur bien légitime, vous regardez le fiacre s'éloigner : triste engeance que ces sombres bougres ! Décidément, la faune de Paris est souvent bien méprisable. Mais inutile de ruminer plus longtemps votre rancœur, il est temps à présent de dénicher quelqu'un qui puisse vous indiquer où trouver le domestique que vous cherchez. Rendez-vous pour cela au **12**.

48

— Allons, viens, ma joliette, si tu veux du spectacle, tu ne seras pas déçue, dit l'homme qui vend les billets devant la barrière.

Sans juger utile de lui répondre, vous lui donnez un louis d'or.

— Oh, oh, mazette ! s'exclame l'homme, tu as du jaunet dans ta bourse, ma mignonne ! On ne dirait pas à te voir attifée ainsi, comme une mendiante des campagnes. Et cette épée que tu portes au côté, à quoi peut-elle bien te servir ? N'est-elle pas un peu encombrante pour éplucher tes légumes ?

Ravi de sa plaisanterie, le rustre éclate de rire ; vous lui passeriez volontiers votre lame au travers du corps, mais vous avez mieux à faire ; vous prenez la monnaie qu'il vous rend — 3 écus, 1 demi-écu et 30 sols — et vous franchissez la barrière pour vous approcher de la fosse. Pour le moment, celle-ci est vide, mais le bonimenteur annonce le spectacle qui va avoir lieu dans quelques instants.

— Et maintenant, bonnes gens, vous allez assister au combat le plus cruel, le plus sanguinaire qui se soit jamais livré sur cette place ! Un combat qui va opposer, écoutez-moi bien, un tigre, oui, j'ai bien dit un tigre ! Un tigre, dis-je, et un verrat, un gros et gras verrat, plein de hargne et de méchante humeur, tout prêt à en découdre avec le seigneur de la jungle !

— Voulez-vous parier sur le vainqueur, mademoiselle ? vous demande alors un homme au sourire enjôleur. Pour un louis, vous en ramasserez cinq si vous gagnez. Allons, laissez-vous tenter et vous repartirez la bourse aussi rebondie que les flancs du verrat.

Si vous souhaitez parier, rendez-vous au **20**. Si vous préférez vous en abstenir, rendez-vous au **202**.

49

Cette visite chez M. de Joubeuf ne vous aura pas apporté grand-chose. En apprendrez-vous davantage en assistant demain au vol de l'aérostat ? Peut-être, qui sait ? En tout cas, vous n'avez plus rien à faire ici pour l'instant et vous quittez la maison d'Archibald de Joubeuf pour retourner à Paris où, ne l'oubliez pas, vous avez rendez-vous à 4 heures avec le commissaire Du Réner devant l'auberge du Pont-Marie. En attendant, vous pouvez, si vous le désirez, prendre un repas dans une autre auberge. Il vous en coûtera quarante sols et vous regagnerez 2 points de FORCE. Si vous souhaitez, en sortant de table, rendre visite à M. de Courtemare, rendez-vous au **279**. Si vous préférez aller directement à l'auberge du Pont-Marie pour y retrouver le commissaire, rendez-vous au **241**.

50

Vous restez un instant immobile sans en croire vos yeux. Vous vous demandez si votre empoisonnement ne provoque pas des hallucinations, mais vous vous reprenez aussitôt et vous vous ruez à la poursuite de l'homme en rouge. Vous éprouvez quelque difficulté à vous déplacer, mais vous parvenez tant bien que mal jusqu'à l'armoire. Il ne vous faut pas longtemps pour comprendre ce qui s'est passé : le meuble, collé contre le mur, cache en fait un panneau coulissant qui ouvre sur un escalier. Vous vous enfoncez à votre tour dans ces profondeurs inconnues et vous arrivez dans une vaste cave où se consume une chandelle. Là, une mauvaise surprise vous attend : l'homme en rouge vous fait face, en effet, tenant fermement dans sa main gauche un pistolet qu'il pointe sur vous. Voici donc venue l'heure de livrer votre premier duel au pistolet. N'oubliez pas, cependant, de réduire votre total de MAÎTRISE et de FORCE du nombre de points indiqué précédemment. Avant de tirer, n'oubliez pas non plus de calculer votre rapidité selon les indications qui vous ont été données par Gayok le Preux avant votre départ. Vous ne mènerez qu'*un seul* Assaut.

HOMME
AU MASQUE
DE SANG   MAÎTRISE : 18   FORCE : 20

Si vous recevez une blessure, rendez-vous au **217**. Si
c'est votre adversaire qui est blessé, rendez-vous au
30. Si vous êtes à égalité, cela signifiera qu'aucun
coup de feu n'est parti. Tirez à nouveau jusqu'à ce
que l'un des deux soit blessé. A l'issue de cet affrontement, vous retrouverez vos points de MAÎTRISE
habituels et vous rajouterez à votre total de FORCE
les 3 points que les champignons vénéneux vous
avaient fait perdre.

51

Bastien Frontouillard, le domestique que vous avez
interrogé chez M. de Joubeuf se tient près du premier aérostat. Il a visiblement l'air surpris de vous
voir arriver avec tant de hâte, M. de Joubeuf et vous.
— Que... Que se passe-t-il ? demande-t-il à son
maître.
— N'as-tu rien remarqué d'anormal ? interroge
M. de Joubeuf.
— Heu... Non, pourquoi ?
— As-tu vérifié ce qu'il y avait dans la nacelle ?
— Non, je n'ai pas regardé.
Vous vous hâtez, quant à vous, d'aller voir ce que
cette fameuse nacelle contient et vous y découvrez,
comme prévu, une énorme bombe : la machine infernale qui devait être jetée sur le peuple de Paris des-
cendu dans la rue pour protester contre le renvoi de
Necker. Vous montrez alors l'engin à M. de Joubeuf.
— Mon Dieu ! C'est horrible ! s'exclame celui-ci. Je
vais immédiatement m'occuper de la faire désamorcer ! Quel malheur ! Mon vol, mon beau vol dans le
ciel de Paris, je ne puis plus le faire, à présent. Ah,
Altesse ! Comme le sort est cruel, parfois !

Bastien Frontouillard paraît tout aussi consterné que son maître et vous préférez les laisser tous deux à leurs lamentations. Vous devez, quant à vous, poursuivre votre mission, maintenant que vous avez évité la catastrophe qui se préparait. Qui était censé monter à bord de l'aérostat et jeter l'engin sur la foule ? Vous n'en savez rien, mais une chose est sûre : cette personne ne se montrera plus à présent. Vous retournez dans votre chambre de la place Dauphine pour vous débarrasser de votre robe et vous habiller de nouveau en homme. Vous décidez ensuite d'aller raconter tout ce qui s'est passé depuis la nuit dernière à M. de Courtemare. Il faut d'urgence le mettre en garde contre les projets d'assassinat dont vous avez eu connaissance. Après vous être changée, vous reprenez donc votre cheval et vous vous rendez au **255**.

52

— Tu ne veux pas me payer mes poissons ? s'indigne l'homme. Ah, le gâte-lard ! Ah, le tranche-montagne ! Ah, le fouille-vase !
Le marchand se rue alors sur vous, prêt à en découdre ; il faut vous défendre. Vous avez le choix entre vous battre à poings nus, ou à l'épée. Si vous vous battez à poings nus, vous devrez réduire de 2 points votre total de MAÎTRISE et chaque blessure infligée à vous-même ou à votre adversaire entraînera une perte de 2 points de FORCE, quel que soit l'endroit du corps qui aura été atteint. Méfiez-vous, cependant, car les combats de rue ne sont guère appréciés par la police de Paris, surtout lorsqu'on emploie des armes !

MARCHAND
DE POISSONS
EN FUREUR   MAÎTRISE : 15   FORCE : 20

Vous allez devoir livrer trois Assauts contre votre adversaire. Au terme de ces trois Assauts, vous vous rendrez au **104** si vous vous battez à poings nus ou au **8** si vous utilisez votre épée. Dans cette dernière hypothèse, le marchand se défendra contre vos coups d'épée à l'aide d'un gros bâton qui lui sert à transporter ses paniers de poissons.

53

Vous vous rendez chez Lefondler & Frey, armuriers. Là, on vous présente un choix de pistolets dont voici les caractéristiques et le prix :

- Un pistolet de voyage à un coup qu'il faut recharger à chaque fois qu'on a tiré (2 louis d'or)
- Un pistolet à deux charges superposées qui permet de tirer deux fois de suite avant de recharger (4 louis d'or)
- Un pistolet à trois coups qui permet de tirer trois fois de suite sans rechàrger (6 louis d'or)
- Un pistolet à quatre coups qui permet de tirer quatre fois de suite sans recharger (10 louis d'or)

Comme vous le savez, la rapidité est très importante lorsqu'on se bat au pistolet. Si vous achetez un pistolet qui peut tirer plusieurs fois de suite, vous aurez un avantage appréciable sur vos adversaires : en effet, après avoir tiré la première balle, vous pourrez tirer à nouveau 1, 2 ou 3 fois — selon le modèle — sans recharger. En de telles circonstances, vous lancerez alors un dé avant de mener le 2e, le 3e ou le 4e assaut, selon l'arme en votre possession, et vous ajouterez le chiffre obtenu à votre total de MAÎTRISE. Ce surcroît de MAÎTRISE ne durera, bien entendu, que le temps de cet assaut. Lorsque votre pistolet sera vide, si votre adversaire est encore en vie, vous calculerez votre rapidité à recharger et à tirer selon la règle habituelle, puis vous recommencerez l'opération, et ainsi de suite.

Il va sans dire que vous aurez besoin de poudre et de munitions pour charger le pistolet que vous achèterez. Lefondler & Frey vous fourniront 20 balles et 20 charges de poudre pour la modique somme de 1 écu. Vous n'avez le droit d'acheter qu'un seul pistolet et vos poches ne sont pas assez grandes pour contenir plus de 20 balles et 20 charges de poudre. Lorsque vous aurez payé votre arme et vos munitions, retournez au **24** pour faire un autre choix.

54

Vous donnez rendez-vous à M. de Joubeuf demain matin à 7 h 30 place Dauphine. Votre interlocuteur est enchanté et vous promet un spectacle exceptionnel dont, bien sûr, il sera le héros.

Si, tout à l'heure, vous avez fouillé dans un placard en attendant que le domestique vienne vous chercher, rendez-vous au **135**. Dans le cas contraire, rendez-vous au **86**.

55

L'homme est enfariné des pieds à la tête, on dirait un fantôme ; il est bien vivant, cependant, et le long couteau pointu qu'il brandit dans sa main droite n'a rien d'immatériel.

— Laisse mon cheval, freluquet ! ordonne-t-il, et file d'ici !

L'homme se tient à présent devant vous et vous menace de son couteau. Qu'allez-vous faire :

Lui proposer d'acheter son
cheval ?   Rendez-vous au **168**

Essayer de voler le cheval ?   Rendez-vous au **84**

Votre pistolet est chargé et vous avez pris la précaution de le glisser sous votre oreiller. Vous pouvez
donc vous en saisir sans grande difficulté, en dépit de
votre état de faiblesse. Vous pointez le canon de
l'arme en direction de l'homme en rouge qui recule
d'un pas.

— Plus un geste, lui ordonnez-vous d'une voix
pâteuse ; que faites-vous ici ? Comment êtes-vous
entré ?

L'homme ne répond pas, mais vous voyez ses yeux
bouger derrière son masque, comme s'il cherchait un
moyen de vous échapper. Vous vous levez à grand-
peine en continuant de braquer le pistolet sur lui.
Vous avez gardé pour dormir les vêtements que vous
aviez emportés du Royaume du Temps et vous pouvez donc vous déplacer dans la pièce sans dommage
pour votre pudeur. Vous vous apprêtez à contourner
le lit pour vous approcher de l'homme qui se trouve
de l'autre côté, mais soudain, un accès de vertige
vous saisit et l'individu en profite pour se ruer vers
le fond de la pièce. Avant que vous ayez eu le temps
de réagir, il disparaît... dans l'armoire ! Rendez-vous
au **50**.

Vous n'avez pas le temps de vous quereller avec des
cochers de fiacre et d'ailleurs, celui-ci vous a fourni
un renseignement qui vous sera peut-être utile dans
l'avenir. Vous décidez donc de lui donner son louis
d'or qu'il s'empresse d'empocher tandis que vous
descendez du fiacre.

— Et bon séjour à Paris ! vous lance le cocher en
éclatant de rire.

Il a fait sans nul doute une excellente affaire à vos
dépens et s'éloigne en sifflotant un air joyeux. Il vous

reste à présent à dénicher quelqu'un qui puisse vous indiquer où trouver le domestique que vous cherchez. Rendez-vous pour cela au **12**.

58

Ce coffret ne contient que de petites fioles remplies de divers parfums et essences. Si vous avez le nez fin, vous pouvez en humer les senteurs tout à loisir, mais sachez que ces effluves ne vous aideront en rien à progresser dans votre enquête. Il ne vous reste donc plus qu'à refermer le coffret, pour aller vous intéresser plutôt au secrétaire. Hélas ! alors que vous vous apprêtez à ouvrir les tiroirs du meuble, vous entendez un bruit de pas dans le couloir qui mène au salon. La comtesse revient. Vous vous éloignez alors du secrétaire et vous faites semblant de contempler un tableau accroché entre deux draperies.

— Vous aimez la peinture, prince ? demande Mme de Sainte-Mouffle d'un ton aimable tandis qu'elle entre à nouveau dans la pièce.

Vous lui ferez part de vos goûts picturaux en vous rendant au **10**.

59

Vous poursuivez votre chemin dans les jardins du Palais-Royal et soudain, vous avisez un jeune garçon dont le visage vous est familier : c'est le garnement qui se trouvait auprès du baron de la Gaillottière lorsque celui-ci a failli être décapité devant le Châtelet. Vous vous approchez de lui et vous lui faites une description de M. de Courtemare en lui demandant s'il n'a pas vu ce dernier.

— Ça me dit quelque chose, répond le gamin, mais j'aurais besoin qu'on m'aide à me rappeler.

Le message est clair : vous glissez un écu dans la paume de sa main tendue.

— Ah, voilà, je me souviens, maintenant, dit-il, il était avec un curé rue de Montpensier il n'y a pas deux minutes.

Vous vous rendez aussitôt dans cette rue et vous apercevez en effet, un peu plus loin M. de Courtemare en compagnie d'un ecclésiastique : il s'agit de l'abbé Goulot du Pauillac, le confesseur de Mme de Sainte-Mouffle. Vous vous précipitez alors vers les deux hommes, mais à ce moment, une violente explosion retentit. C'est la meule d'un rémouleur qui vient ainsi d'exploser, ou plutôt, la bombe qu'on avait placée dans sa carriole. L'explosion s'est produite au moment précis où M. de Courtemare passait devant la meule. L'espace d'un instant, vous voyez voler un sabot, puis un chapeau. Une épaisse fumée se répand dans la rue et lorsqu'elle se dissipe, M. de Courtemare ainsi que deux autres passants sont allongés sur le sol tandis que des rigoles de sang ruissellent sur le pavé. L'abbé Goulot du Pauillac, lui, est indemne.

— Que s'est-il passé ? vous écriez-vous en vous agenouillant auprès d'Eloi de Courtemare.

— Je... C'est terrible... balbutie l'abbé d'une voix tremblante. Nous marchions en devisant, M. de Courtemare et moi, et soudain... Oh, mon Dieu, mon Dieu...

— Vous n'avez pas été blessé ? demandez-vous à l'ecclésiastique.

— Non, je... J'étais un peu en retrait... Quel malheur, mon Dieu, quel malheur...

M. de Courtemare vit toujours, mais il paraît grièvement blessé. Le bruit de l'explosion a alerté un sergent de police qui se trouvait un peu plus loin. Il vient voir sur place en compagnie de ses hommes et fait le nécessaire pour que les victimes soient secourues. Bientôt, une voiture tirée par deux chevaux

59 *Une violente explosion retentit : c'est la meule
d'un rémouleur qui vient d'exploser !*

vient chercher M. de Courtemare pour le ramener chez lui. L'abbé paraît commotionné, mais il n'a pas la moindre égratignure.

— Mon Dieu, quel malheur, répète-t-il, pauvre monsieur de Courtemare, lui qui allait devenir ministre...

Et voilà : le Masque de Sang a gagné, Eloi de Courtemare a été éliminé, provisoirement, tout au moins. En proie à une profonde consternation, vous vous demandez ce qu'il convient de faire à présent. Vous avez réuni de nombreux éléments au cours de votre enquête et si vous avez su opérer les bons choix, vous avez sûrement une idée de l'identité de l'homme — ou de la femme — qui, dans l'ombre, tire les ficelles du Masque de Sang. Tandis que l'abbé s'éloigne d'un pas chancelant après vous avoir salué, vous prenez une décision. Mais attention : cette décision sera définitive. Si vous faites un mauvais choix, votre mission sera condamnée à l'échec. Aussi, réfléchissez bien. L'instant est crucial ! A votre avis, que faut-il faire pour arriver à connaître la vérité ?

Suivre l'abbé Goulot du Pauillac qui vient de s'en aller ? Rendez-vous au **154**

Aller chez Mme de Sainte-Mouffle pour lui parler du Masque de Sang ? Rendez-vous au **114**

Retourner à l'auberge du Pont-Marie ? Rendez-vous au **278**

60

Vous avez donc ramassé le masque rouge que l'homme portait pour dissimuler son visage. Si vous souhaitez montrer ce masque au commissaire, rendez-vous au **93**. Sinon, rendez-vous au **74**.

61

— De votre toilette... dit timidement Timothée. Les Parisiens attachent une grande importance à la mise et je crains que vêtue ainsi... vous n'attiriez quelque désapprobation... De plus, vous portez une épée au côté, ce qu'on ne voit jamais chez une femme. On vous prendra pour une aventurière, et cela ne vous attirera que des ennuis.

— Et pourquoi n'aurais-je pas le droit de porter une épée alors qu'un homme peut le faire à sa guise ? vous indignez-vous.

— Vous avez raison, c'est injuste, approuve Blandine.

— C'est peut-être injuste, mais c'est ainsi, coupe Timothée, l'air un peu pincé.

— Comment dois-je donc m'habiller pour plaire aux Parisiens ? interrogez-vous d'un ton nuancé d'ironie. Faut-il que je m'affuble de dentelles, de jupons, de rubans ?...

— Quel mal y aurait-il à cela ? s'étonne Timothée. Vous avez la taille bien prise, la jambe fine, un visage plein de grâce et de beauté...

— Timothée ! l'interrompt son épouse, cette jeune fille n'est pas venue ici pour s'entendre conter des bagatelles ! Si vous ne désirez pas vous vêtir en femme, ajoute-t-elle en se tournant vers vous, habillez-vous en garçon ! Vous aurez ainsi toute liberté de mouvement et l'on ne s'étonnera pas de vous voir l'épée au côté.

L'idée est excellente : en vous habillant à la manière d'un homme, vous pourrez courir et vous battre à votre gré, mais lorsque vous aurez besoin d'employer des armes plus spécifiquement féminines, rien ne vous empêchera de vous vêtir en femme et d'user de toutes les ressources de votre charme.

— Soit, je m'habillerai en homme, déclarez-vous à vos interlocuteurs.

— Quel dommage ! se lamente Timothée, mais si c'est votre volonté, venez, je vous fournirai des vêtements d'homme.

— Je viens aussi, dit aussitôt Blandine, il y aura peut-être quelques travaux de couture à faire.

Vous remontez tous trois de la cave et vous suivez vos hôtes dans leurs appartements privés. Une demi-heure plus tard, vous êtes vêtue d'une redingote, d'une culotte et de bas, vous portez perruque en catogan et vous êtes coiffée d'un tricorne. On jurerait un garçon, quelque peu efféminé sans doute, mais un garçon quand même.

— C'est mon plus bel habit, dit Timothée en vous considérant d'un œil attristé, mais je regrette qu'il dissimule ainsi tous vos charmes...

— Timothée ! s'écrie son épouse, laisse donc cette jeune fille s'habiller comme elle l'entend ! Ce costume lui sied à merveille.

— Autre chose, à présent, reprend Timothée, savez-vous où loger ?

— Non, mais vous m'avez parlé de l'auberge où mon parent était descendu.

— L'auberge du Pont-Marie ? L'endroit est plaisant et bon marché, mais... Mieux vaut ne pas faire état de votre lien de parenté avec Hensock. Vous risqueriez d'y être mal accueillie...

— Savez-vous quelle chambre il occupait ?

— Non. Cela a-t-il de l'importance ?

— Qui sait ? Il ne faut rien négliger, la vie de Hensock en dépend.

— Croyez-vous qu'il soit possible de faire quelque chose pour lui ? demande Timothée plein d'espoir.

— J'en suis convaincue, assurez-vous. J'y consacrerai en tout cas mes forces et mon temps. Je vous
remercie tous deux pour votre aide...
— Attendez, je dois encore vous donner quelque
chose, dit Timothée Lestingois. Hensock le Follet
m'avait laissé une certaine somme d'argent en dépôt,
ne voulant pas la porter sur lui et risquer qu'on la lui
dérobe. Puisque vous êtes de sa famille, il me semble
naturel de vous remettre cet argent.
Timothée sort alors d'un placard une bourse qui
contient 25 louis d'or et 20 écus et vous la donne ; ce
capital vous sera précieux, sachez en faire bon usage,
et surtout, tenez vos comptes avec précision, car les
occasions de gagner de l'argent seront rares, et vos
dépenses multiples. N'oubliez pas que la vie est
chère, à Paris...
— Il me reste à vous souhaiter bonne chance, mademoiselle... Mademoiselle... Heu... Pardonnez-moi, je
crains d'avoir mal saisi votre nom...
— Églantine, répondez-vous tout naturellement.
C'est le nom que vous vous étiez donnée lors de
votre première mission sur Terre, autant le
conserver...
— Églantine ?... Tout court ? s'étonne Timothée.
— Églantine... Heu... Lefollet, précisez-vous après
un bref instant d'hésitation.
Puisque vous avez prétendu être une parente de
Hensock, pourquoi ne pas transformer son surnom
en nom de famille ? C'est un patronyme quelque peu
difficile à porter, certes, mais après tout, la difficulté
ne vous fait pas peur !
— Oui, bien sûr, j'aurais dû m'en douter, dit Timothée. Eh bien, je le répète, bonne chance, que Dieu
vous garde et puissiez-vous contribuer à ce que justice soit rendue à l'infortuné Hensock.
Vous prenez alors congé de Timothée et Blandine

Lestingois après les avoir chaleureusement remerciés de leur aide. Vous pouvez même, à titre de dédommagement pour le costume, leur laisser 2 louis d'or, maintenant que vous êtes riche. Vous êtes libre de le faire ou pas, agissez selon votre conscience. Lorsque vous aurez quitté les lieux, vous remonterez sur votre cheval puis vous vous rendrez au **78**.

Et n'oubliez pas que vous devrez désormais avoir un comportement masculin, tout au moins tant que vous déciderez de conserver vos vêtements d'homme. Aussi, ne vous trahissez pas !

62

Le destin vous a souri largement en vous faisant tirer cette carte. Le choc entre les deux bateaux a en effet été si violent qu'il ne reste plus que 2 adversaires à combattre, l'homme au pistolet et un autre. Vous en affronterez chacun un, ce qui devrait tourner aisément à votre avantage. Retournez au numéro d'où vous venez pour mener le combat.

63

Vous avez dormi profondément, mais il vous semble que vous vous éveillez. Il vous semble, car vous ne savez pas si vous êtes véritablement en état de veille ou si vous êtes en train de rêver. Quoi qu'il en soit, vous apercevez une silhouette dans votre chambre. C'est apparemment celle d'un homme qui fouille vos affaires. Votre épée est posée contre le mur, à portée de main et vous voulez faire un geste pour vous en saisir, mais vous êtes en proie à une sorte de paralysie. Votre corps est lourd, vos muscles sans force et il vous est impossible de remuer. A présent, en tout cas, une chose est certaine : vous ne dormez pas, tout ce que vous voyez est bien réel, mais vous ne parvenez pas à réagir. L'homme s'approche alors de vous. Il est vêtu d'une cape rouge et son visage est dissimulé derrière un masque également rouge. A la lueur de votre veilleuse, vous le voyez se pencher vers vous.

— Qui es-tu ? murmure-t-il, que cherches-tu ?

Lancez deux dés. Si vous faites un double, rendez-vous au **21** ; sinon, rendez-vous au **9**.

64

Vous montrez à M. de Courtemare le médaillon qui se trouvait dans la poche du baron de la Gaillottière. Votre interlocuteur jette un coup d'œil au portrait et s'exclame aussitôt :

— Mais c'est la comtesse de Sainte-Mouffle ! Voilà qui est étrange, je savais le baron très ami avec elle, mais je suis également certain qu'il n'en était pas le moins du monde amoureux. Que pouvait-il donc faire de ce médaillon ?

— Il faudrait le demander à cette comtesse, elle le lui a sans doute donné. Connaissez-vous madame de Sainte-Mouffle ?

Vous avez le sentiment d'avoir découvert là un début de piste et vous vous hâtez donc de vous rendre au **166** pour entendre la réponse d'Éloi de Courtemare.

65

— J'ai réussi à m'y infiltrer, explique-t-il, malheureusement, j'ignore l'identité des autres membres. L'anonymat est scrupuleusement respecté par tous les frères.

— Tu ne sais pas qui est cette femme ?

— Une marquise, d'après les indices que j'ai pu obtenir, mais je ne crois pas qu'elle ait un rôle très important à jouer dans toute cette affaire.

— Et si c'était Mme de Sainte-Mouffle elle-même ?

— Impossible, malgré son masque, la comtesse était reconnaissable parmi les invités.

— Imagine que ce soit quelqu'un d'autre qui ait joué le rôle de Mme de Sainte-Mouffle recevant ses hôtes, tandis que celle-ci participait en fait à la réunion ?

— Un peu tordu comme raisonnement. A propos, je ne t'ai pas entendu me remercier.

Cette réflexion vous met en rage, mais il est vrai que vous auriez pu avoir un mot de gratitude pour votre frère qui vous a permis de recueillir des informations précieuses.

— Je te remercie, mon très cher frère, lancez-vous d'un ton pincé. Et maintenant, que faisons-nous ?

— Je te propose de nous mêler de ce transfert d'armes qui doit avoir lieu à 4 heures du matin sur la Seine. Je sais par où les armes seront apportées sur le bateau et je dispose moi-même d'une embarcation qui va nous servir à contrecarrer ce projet.

— A deux, nous risquons de n'être pas suffisamment nombreux, faites-vous remarquer.

— Attends de connaître mon plan.

Rendez-vous au **179** pour en savoir davantage.

66

Dans la suite des événements, vous devrez sans aucun doute sacrifier à quelques obligations mondaines et il vous faut donc acquérir certains accessoires vestimentaires sans lesquels on passe à Paris pour un rustre. Les sœurs Bouchebet tiennent justement une boutique de mode dans laquelle vous allez pouvoir faire vos achats. Choisissez ce qui vous convient dans la liste ci-dessous et payez le prix demandé avant de retourner au **24** pour décider d'un autre choix. Les articles encombrants vous seront livrés le soir même à l'auberge du Pont-Marie, vous n'aurez donc pas à les transporter avec vous.

- Garnitures de dentelles pour cols et poignets (1 louis)
- Souliers vernis (2 louis)
- Poudre pour perruque (10 sols)
- Masque pour bal costumé (1 écu)
- Redingote de satin à parements dorés (10 louis)

67

— Et Bastien Frontouillard, qui est-ce ? demandez-vous à votre interlocuteur.

Celui-ci vous désigne l'un des hommes qui travaillent autour du ballon.

— Je dois à tout prix m'entretenir avec lui, déclarez-vous d'un ton ferme.

— Je crains que pour le moment, cela ne soit pas possible, répond le domestique.

Vous allez devoir employer des arguments plus convaincants. Vous sortez donc de votre bourse un autre écu que vous donnez au serviteur de M. de Joubeuf.

— Je... Je vais voir ce qu'il est possible de faire... dit l'homme en empochant la pièce.

Quelques minutes plus tard, il revient auprès de vous en compagnie du dénommé Bastien. Il vous semble qu'en vous voyant, celui-ci a une réaction de surprise, mais vous ne sauriez en jurer. L'autre domestique se tient à l'écart tandis que vous vous adressez au nouveau venu.

— J'étais un ami de Thibaud de Ponsac, prétendez-vous, et j'ai appris que vous aviez assisté à ses derniers instants...

— Ah, quel malheur ! s'exclame Bastien Frontouillard, pauvre Monsieur !

— Vous étiez là quand l'assassin l'a frappé ?

— Oh oui, hélas ! J'étais là ! Lorsque je suis arrivé dans la pièce, l'infâme était en train de poignarder mon maître.

— Il avait le visage masqué, je crois ?

— Oui, il portait un masque noir, ce qui ne l'a pas empêché de se faire prendre dès le lendemain matin. Heureusement, le misérable sera châtié comme il le mérite.

Bien entendu, Bastien Frontouillard est convaincu que Hensock le Follet est bel et bien l'assassin de son ancien maître. Inutile d'essayer de le détromper, il ne vous croirait pas.

— M. de Ponsac est mort sur le coup ? demandez-vous.

— Oui, quand je me suis précipité sur lui pour lui porter secours, il était trop tard.

— Et l'assassin ?

— Il s'est enfui dès qu'il m'a vu. Il y avait une autre porte dans la pièce, c'est par là qu'il est passé. Mon Dieu, pauvre Monsieur, chaque fois que je repense à lui, je ne puis m'empêcher de pleurer.

Bastien Frontouillard baisse la tête. Il a en effet les larmes aux yeux et s'essuie du revers de sa manche gauche. Peu à peu, il est secoué de sanglots : vous n'arriverez plus à tirer de lui quoi que ce soit.

— Puis-je retourner à mon travail ? demande-t-il d'une voix entrecoupée de hoquets.

— Oui, oui, allez-y.

Voyant que vous en avez terminé, l'autre domestique revient vers vous.

— J'espère que Monsieur est satisfait ? dit-il.

— Je vous remercie, répondez-vous. Encore une petite chose, cependant, vous m'avez parlé d'un vol d'aérostat qui doit avoir lieu demain.

— Oui, au Champ-de-Mars à 8 heures du matin, précise le domestique.

Si, tout à l'heure, vous avez fouillé dans un placard en attendant que le domestique revienne, rendez-vous au **282**. Dans le cas contraire, rendez-vous au **49**.

68

Le destin vous a souri en vous faisant tirer cette carte. Vous sentez en effet monter en vous une énergie débordante qui vous permet de *doubler* vos points de FORCE pendant toute la durée du combat. Retournez au numéro que vous venez de quitter, battez-vous, puis diminuez de moitié votre total de FORCE à la fin de l'affrontement en arrondissant au chiffre supérieur s'il s'agit d'un nombre impair.

69

Hélas ! vous n'avez pas été assez rapide ; non seulement vous n'avez pas réussi à monter sur le dos du cheval, mais l'homme vous a porté un coup de couteau. Vous avez donc reçu une blessure et il vous faut à présent lancer un dé pour en évaluer la gravité selon les indications qui vous ont été fournies. Vous voici à présent avec un combat sur les bras, car l'homme enfariné n'a pas l'intention d'en rester là.
— Je sais défendre mon bien ! s'écrie-t-il, et tu vas en avoir la preuve !

Il se précipite alors sur vous et vous allez devoir livrer contre lui trois Assauts *gagnants* ; vous n'aurez en effet le droit d'interrompre le combat et de vous enfuir sur le cheval qu'à la condition d'avoir blessé par trois fois votre adversaire. Il se peut qu'avant d'y avoir réussi, l'homme vous ait lui-même blessé à plusieurs reprises, il se peut aussi qu'il vous tue... C'est le prix que vous aurez à payer pour avoir tenté de dérober aussi maladroitement sa monture à ce brave meunier.

MEUNIER
FURIEUX   MAÎTRISE : 15   FORCE : 20

Si vous parvenez à remporter trois Assauts, prenez le cheval et galopez jusqu'au **159**.

70

Vous vous efforcez de faire une description aussi fidèle que possible de votre agresseur mais celui-ci ne présentant aucun signe particulier, votre portrait n'évoque rien dans les souvenirs de votre interlocuteur. Rendez-vous au **28**.

71

Vous dégainez votre épée et vous arrivez devant le domestique criminel avant qu'il n'ait pu monter dans la nacelle. L'homme dégaine également une épée et se met en garde. Vous allez devoir livrer contre lui trois Assauts.

BASTIEN
FRONTOUILLARD   MAÎTRISE : 18   FORCE : 20

Si vous survivez à ces trois Assauts, rendez-vous au **248**.

Comment faire pour connaître l'adresse de feu Thibaud de Ponsac ? C'est en effet en prenant des renseignements dans son voisinage que vous aurez une chance de retrouver la trace du domestique que vous cherchez. Vous réfléchissez un instant et une idée vous vient : les cochers de fiacre doivent tout savoir des rues et des maisons de la capitale, aussi, pourquoi ne pas demander ce renseignement à l'un d'eux ? Après dix bonnes minutes d'attente, vous finissez par trouver un fiacre libre que vous hélez. Le cocher s'arrête à votre hauteur.

— Vous allez où ? demande-t-il d'une voix bourrue.

— Je voudrais un renseignement, lui dites-vous.

— Un renseignement ? Pas le temps ! réplique-t-il avec humeur, j'ai fini mon service, je rentre sur Gentilly ; vous voulez que je vous emmène à Gentilly ?

— Non, je n'ai rien à y faire.

— Alors, allez au diable !

Sans ajouter un mot, il fouette son cheval et démarre en trombe, vous éclaboussant au passage. Vous espérez que tous les cochers de fiacre parisiens ne sont pas semblables à ce malotru, sinon, vous aurez quelque difficulté à obtenir ce que vous cherchez. Après une nouvelle attente de dix minutes, vous parvenez à arrêter un autre fiacre.

— Ouais, c'est pour quoi ? demande le cocher.

— Je voudrais un renseignement, répétez-vous, je cherche la maison où habitait feu Thibaud de Ponsac.

L'homme fronce les sourcils.

— Celui qu'a été assassiné ?

— Lui-même.

— Mon pauvre Monsieur, on voit bien que vous n'êtes pas de Paris ! s'exclame le cocher en éclatant de rire.

— Et pourquoi cela ? interrogez-vous d'un air vexé.

— C'est qu'il habitait loin d'ici, votre Ponsac, vous ne trouverez jamais tout seul. Mais si vous voulez je vous emmène. Laissez votre cheval ici, je vous conduis là-bas, je vous attends et je vous ramène. Il vous en coûtera 1 louis.

— Un louis ? C'est cher ! protestez-vous.

— C'est bien ce que je disais, vous n'êtes pas de Paris, sinon, vous trouveriez ça très bon marché, au contraire.

Vous hésitez un instant. Que faire ? Si vous décidez d'accepter la proposition du cocher, rendez-vous au **140**. Dans le cas contraire, rendez-vous au **129**.

73

Vous sortez votre pistolet et vous visez l'homme au moment où celui-ci fait pression sur le levier. Vous tirez ! Avez-vous réussi à le toucher ? Pour le savoir, lancez un dé. Si vous obtenez un chiffre impair, vous avez raté votre coup. Si vous obtenez un chiffre pair, vous avez fait mouche. Calculez alors la gravité de la blessure infligée à l'homme aux tonneaux. Si cette blessure lui coûte 3 points de FORCE au minimum, il tombe de son escabeau et vous vous rendez au **197**. Si la blessure lui coûte moins de 3 points de FORCE, rendez-vous au **133**, à moins que vous ne possédiez un pistolet pouvant tirer plusieurs coups. Dans ce cas, tirez à nouveau puis relancez le dé comme précédemment et ainsi de suite. Si vous parvenez enfin à infliger une blessure d'au moins 3 points de FORCE à l'homme perché sur son escabeau, rendez-vous au **197**.

— Je n'ai rien à ajouter, déclarez-vous.

— Fort bien, où puis-je vous trouver si j'ai d'autres questions à vous poser ?

— Je compte descendre à l'auberge du Pont-Marie.

Le commissaire paraît étonné.

— Là même où logeait votre parent ?

— Oui, et j'ai l'intention de prendre la même chambre que lui. J'ignore cependant laquelle il occupait.

— Chambre numéro 4, précise le commissaire, mais je me demande bien ce que vous espérez y découvrir.

— Je n'en sais rien moi-même, mais je ne veux rien négliger qui puisse m'aider à prouver l'innocence de Hensock Lefollet que je crois incapable de commettre quelque crime que ce soit.

— Douteriez-vous du zèle que j'ai montré dans l'accomplissement de mon devoir ? demande Du Réner d'un ton quelque peu pincé.

— Votre sens du devoir n'est certainement pas en cause, répliquez-vous, mais une machination bien ourdie peut tromper le meilleur des policiers.

— Soit, faites donc comme il vous plaira, mais sachez que vous agissez en vain. Je vous souhaite le bonjour, Monsieur.

Le commissaire Du Réner retourne alors au Châtelet et vous remontez sur votre cheval. Robert de la Gaillottière a été emmené, mais vous ne savez pas où ; et surtout, vous ignorez s'il est toujours vivant. Quoi qu'il en soit, tout ce que vient de vous dire le commissaire ne fait que renforcer votre conviction que Hensock le Follet est innocent. Car même si l'on admettait qu'il eût tué Thibaud de Ponsac, pourquoi en pareil cas aurait-il rapporté dans sa chambre l'arme du crime ? Il l'aurait sans nul doute laissée sur place. Il ne fait pas le moindre doute que le Messager du Temps a été victime d'une machination bien montée. Il vous reste à en apporter la preuve ! Qu'allez-vous faire à présent ?

Essayer de trouver l'adresse du dénommé Mouillard, graveur ?

Rendez-vous au **131**

Aller directement à l'auberge du Pont-Marie pour y louer la chambre 4 ?

Rendez-vous au **143**

Retourner chez Robert de la Gaillottière en espérant qu'on vous renseignera sur son sort ?

Rendez-vous au **155**

Tenter de retrouver le domestique qui, selon le commissaire Du Réner, aurait été témoin du meurtre de Thibaud de Ponsac ?

Rendez-vous au **72**

Vous occuper toutes affaires cessantes d'aller faire quelques achats que vous estimez indispensables ?

Rendez-vous au **24**

75

Vous donnez ses 3 écus au marchand de poissons qui vous les prend des mains d'un geste avide. C'est à ce moment seulement que vous vous demandez si l'homme n'a pas fait exprès de se faire bousculer par vous. Peut-être n'aurait-il jamais réussi à vendre sa marchandise autrement ? Quoi qu'il en soit, il est trop tard pour revenir en arrière. Vous avez perdu vos 3 écus et les badauds se dispersent tandis que l'homme s'éloigne d'un pas léger, laissant à terre ses poissons qui dégagent une forte odeur de pourriture. Puisque vous avez perdu la trace de M. de Courte-mare, que souhaitez-vous faire à présent que vous n'ayez déjà fait ?

Vous rendre chez Clotilde
de Sainte-Mouffle ?   Rendez-vous au **29**

Aller à l'auberge du Pont-
Marie pour y louer la
chambre 4 ?   Rendez-vous au **143**

Aller faire quelques achats
que vous estimez indispen-
sables ?   Rendez-vous au **24**

76

L'homme commence à présenter des signes de fai-blesse et il préfère abandonner le combat plutôt que de risquer d'y laisser la vie. Il se dérobe donc sou-dain et se précipite vers le fond de la pièce avant de disparaître... dans l'armoire ! Vous restez un instant immobile sans en croire vos yeux puis vous vous ruez à la poursuite de l'homme en rouge. Il ne vous faut pas longtemps pour comprendre ce qui s'est passé : l'armoire, collée contre le mur, cache en fait un panneau coulissant qui ouvre sur un escalier. L'homme en dévale les marches quatre à quatre et vous vous enfoncez à votre tour dans ces profon-deurs inconnues. L'escalier mène à une vaste cave dans laquelle se consume une chandelle. Lorsque vous arrivez au bas des marches, l'homme court vers une porte aménagée dans l'un des murs de la cave. Si, au cours du combat, votre adversaire a reçu aux jambes deux des trois blessures que vous lui avez infligées, rendez-vous au **175**. Dans le cas contraire, rendez-vous au **95**.

Vous ne pourrez aller à ce rendez-vous que si vous possédez toujours votre robe. Si vous l'avez laissée chez Mme de Sainte-Mouffle, rendez-vous au **146**. Si, en revanche, vous l'avez toujours, vous vous précipitez place Dauphine et vous vous hâtez de la remettre. Mais cette fois, vous vous arrangez pour attacher votre épée au-dessous.

Vous pourrez donc en faire usage le cas échéant. L'ensemble n'est pas facile à porter et vous avez l'air plutôt raide, ainsi armée. Si vous possédez un pistolet, cependant, vous pouvez vous dispenser de prendre votre épée. Vous vous sentirez alors plus légère ! Au passage, vous avez acheté à un marchand ambulant, pour la somme de 40 sols, un chapelet de saucisses et un cuissot de chevreuil que vous dévorez à belles dents dans votre chambre. Ce repas copieux vous permet de regagner 4 points de FORCE dont vous avez probablement grand besoin. A 7 h 30 précises, vêtue de votre robe et coiffée de votre perruque, vous descendez place Dauphine. Grâce au rendez-vous que vous avez donné à M. de Joubeuf, celui-ci a évité la mauvaise surprise qu'on lui préparait. Comme vous le savez, les frères aux masques de sang avaient projeté d'immobiliser son carrosse rue La Fontaine pour l'empêcher de rejoindre le Champ-de-Mars. Or, M. de Joubeuf est passé beaucoup plus tôt que prévu rue La Fontaine puisqu'il devait d'abord venir vous chercher. Il arrive donc à l'heure dite et vous montez aussitôt dans son carrosse.

— Ah, Altesse ! s'exclame-t-il, comme vos atours associés à votre beauté peu commune enchantent mon cœur tout autant que mes yeux qui les voient surgir ainsi à mes côtés comme dans un rêve dont je n'aurais jamais cru qu'il pourrait...

— Allons-y, il faut faire vite ! lancez-vous, interrompant son piètre galimatias.

— Faire vite ? Mais... balbutie-t-il, décontenancé. Vous lui expliquez alors en quelques mots ce qui doit se passer.

— C'est terrible ! s'exclame-t-il, le visage décomposé. Mais, qui donc doit monter à ma place dans l'aérostat pour lancer cette machine infernale ?

— Nous le verrons bien. Pour l'instant, il faut aller là-bas au plus vite.

M. de Joubeuf ordonne à son cocher de fouetter ses chevaux et vous arrivez un quart d'heure plus tard au Champ-de-Mars. Une foule s'est rassemblée autour de deux ballons attachés au sol par des cordes.

— Il y en a deux ? vous étonnez-vous.

— J'en avais prévu un de secours au cas où le premier n'aurait pas bien fonctionné.

Le carrosse fend la foule des spectateurs et s'arrête près des deux ballons. D'un bond, vous sautez à terre. Si vous connaissez l'identité de l'homme au masque rouge qui s'est introduit dans votre chambre l'autre nuit, rendez-vous au **38**. Si vous ignorez toujours qui il est, rendez-vous au **51**.

78

Avant d'arriver au trente rue de l'Université où vous vous rendez à présent dans l'intention de rencontrer le dénommé Robert de la Gaillottière, vous allez devoir prendre quelques notes qui vous aideront à tenir vos comptes. Avec les 25 louis et les 20 écus que Timothée vous a confiés, vous êtes à la tête d'une petite fortune qu'il vous faudra administrer avec soin. Un manque d'argent pourrait en effet se révéler hautement préjudiciable à la réussite de votre entreprise. Sachez donc qu'un louis d'or vaut 24 livres ; la livre est une monnaie de compte, ce qui signifie qu'elle n'est pas représentée par des pièces, ni par des billets. Elle sert seulement à indiquer des valeurs marchandes. Dans un louis d'or, il y a 4 écus d'argent, ou 8 demi-écus ; un écu vaut donc 6 livres et un demi-écu, trois livres. Il existe également de la petite monnaie, les sols et les deniers. Une livre représente 20 sols, il y a par conséquent 120 sols dans un écu et 60 sols dans un demi-écu. Le sol lui-même est divisé en 12 deniers. Toutes ces indications vous paraîtront sans doute quelque peu compliquées, il sera cependant nécessaire de vous y référer si vous voulez tenir le compte exact de vos dépenses. Vous aurez de temps à autre besoin d'acheter tel ou tel objet, de payer un repas ou une chambre d'hôtel, vous devrez donc savoir comment dépenser votre argent avec discernement afin de ne pas vivre au-dessus de vos moyens et risquer ainsi de vous retrouver sur la paille.

Tandis que vous preniez bonne note de tous ces détails, vous avez réussi à atteindre sans encombre, et sans vous perdre, le trente de la rue de l'Université. Vous arrivez devant une maison triste et banale, haute de quatre étages, à la façade blanche et nue. Vous entrez par une porte cochère et vous montez un escalier étroit qui décrit une longue courbe. Mais, alors que vous parvenez à mi-chemin de cette courbe, un homme enveloppé dans une cape rouge vous bouscule violemment en dévalant les marches quatre à quatre. Vous manquez perdre l'équilibre et tomber au bas de l'escalier, mais l'homme à la cape rouge s'en soucie comme d'une guigne : après avoir franchi la dernière marche, il se précipite vers la porte et sort en trombe. Un instant plus tard, vous entendez les bruits de sabots d'un cheval qui s'éloigne. L'homme est passé si vite que vous n'avez pas eu le temps de distinguer son visage. La seule chose que vous avez vue de lui, c'est sa cape rouge. En grommelant contre la goujaterie des Parisiens, vous continuez à monter l'escalier et vous arrivez sur le palier. Là, vous voyez une porte entrouverte derrière laquelle retentissent des exclamations. Vous vous approchez et vous jetez un coup d'œil par l'entre-bâillement : un homme qui paraît être un valet de chambre est assis sur une chaise. Le teint livide, il semble terrorisé ; à ses côtés, deux femmes, également des domestiques, à en juger par leur tenue, essaient de le réconforter et lui font respirer des sels. Les deux femmes poussent par instants de petits cris apeurés en s'affairant autour du malheureux. L'une d'elles vous aperçoit alors, tandis que vous passez la tête par la porte entrouverte, et pousse aussitôt un hurlement qui se répercute en écho dans toute la maison.

— Allons, du calme, dites-vous en repoussant la porte et en pénétrant dans un vestibule pauvrement meublé, mais entretenu avec soin. Que s'est-il passé ?

— Qui... Qui êtes-vous ?... bredouille l'une des domestiques.

— Je souhaite voir monsieur de la Gaillottière. Est-il ici ? Et que signifie tout ce remue-ménage ?

— Non, Monsieur le Baron n'est pas chez lui, répond l'autre femme, et c'est tant mieux, car un bandit le cherchait pour le tuer !

— Un... un assassin... balbutie le valet de chambre, c'est... c'est moi qui lui ai ouvert... Il m'a menacé d'un... d'un grand couteau... Il voulait... voir Monsieur... A l'instant...

— Cet homme était vêtu d'une cape rouge ? interrogez-vous.

— Oui... C'est cela même... Il portait également un masque de la même couleur.

— Et vous lui avez dit où était monsieur de la Gaillottière ? demandez-vous.

— Il... Il avait un grand couteau... bégaye le malheureux domestique, d'une voix sanglotante.

— Donc, vous le lui avez dit ?

— Oui... confesse-t-il.

— Alors, il faut faire vite. Où se trouve le baron ?

— Au Grand Châtelet... Il devait voir un commissaire de la police.

— Connaissez-vous le nom de ce commissaire ?

— Du... Du Réner, je crois...

— Le plus court chemin pour le Châtelet ? demandez-vous.

Les deux femmes vous l'indiquent : vous n'en aurez guère pour longtemps, il suffit de suivre le quai jusqu'au Pont-Neuf, de traverser la Seine et de prendre à droite le quai de la Mégisserie. Une vingtaine de minutes plus tard, vous êtes sur place. Vous vous avancez vers un passage voûté aménagé au centre du Grand Châtelet, siège de la police de Paris. Vous n'en êtes plus qu'à quelques dizaines de mètres lorsque vous voyez sortir du passage un homme dans la cinquantaine, le teint pâle, et qui porte une redingote bleu ciel ainsi que des bottes montantes. L'homme boite légèrement et marche avec une canne. C'est exactement la description que Timothée Lestingois vous a faite du baron de la Gaillottière. Si l'on en juge par ses habits et l'ameublement de sa maison, Robert de la Gaillottière n'est sans doute pas un aristocrate très fortuné. Peut-être aime-t-il mieux les livres que l'or ? Voilà qui vous rendrait l'homme plutôt sympathique, mais quoi qu'il en soit, il s'agit à présent d'avertir le baron du danger qu'il court. Hélas ! il est déjà trop tard ; car soudain, un homme suspendu à une corde s'élance du toit d'une maison voisine : une longue cape rouge flotte

78 *Un homme suspendu à une corde s'élance du
toit d'une maison voisine.*

derrière lui et un masque de la même couleur dissimule son visage. L'homme tient dans sa main gauche un cimeterre à la lame étincelante. Cette cape rouge, vous la reconnaissez à l'instant : c'est celle dont était vêtu l'inconnu que vous avez croisé un peu brutalement dans l'escalier du trente de la rue de l'Université. Et dans une fraction de seconde, cet homme va décapiter Robert de la Gaillottière.

— Baron ! Baissez-vous !

Vous avez lancé ce cri au moment où l'assassin fondait sur sa victime. Robert de la Gaillottière tourne la tête de côté : il a vu l'homme à la cape rouge, il se baisse, la lame siffle. Trop tard ! Le baron est touché ! Certes, grâce à vous, il n'a pas été décapité, mais la lame du cimeterre lui a profondément entaillé le cuir chevelu ; un flot de sang ruisselle sur son visage et il s'écroule sur le pavé, au milieu des passants qui flânaient parmi les étals disposés le long de la rue. Des hurlements s'élèvent de toutes parts, une femme qui marchait derrière le baron s'évanouit, et un jeune garçon se précipite vers le malheureux. Qu'allez-vous faire ?

Vous élancer à la poursuite
de l'assassin ?   Rendez-vous au **115**

Descendre de cheval et tenter de porter secours au baron ?   Rendez-vous au **116**

79

— Vous payer un louis d'or pour m'avoir promené pendant un quart d'heure alors que j'aurais pu faire le trajet à pied en quelques minutes ? Certainement pas ! vous exclamez-vous.

— Ah, c'est comme ça ? Oh, mais c'est que j'ai une

méthode pour calmer les mauvais payeurs, moi !
Maurice ! Attaque !
Aussitôt, le chien se dresse sur ses pattes et se rue sur
vous. Il va falloir vous défendre avec acharnement
contre cette bête féroce dressée pour tuer. Pour évaluer les blessures que vous lui infligerez, reportez-
vous aux indications habituelles si les dés vous donnent 2, 9, 10, 11 ou 12. S'ils vous donnent 3 ou 4,
l'animal aura été blessé à la mâchoire qui constitue
son arme naturelle. Une telle blessure entraînera une
perte de 3 points de FORCE et de 1 point de MAÎ-
TRISE. Enfin, si les dés vous donnent 5, 6, 7 ou 8,
l'animal aura été blessé à l'une de ses pattes, ce qui
lui coûtera une perte de 2 points de FORCE.

MAURICE,
LE CHIEN
DE COCHER   MAÎTRISE : 13   FORCE : 15

Si vous parvenez à réduire à 6 ou moins le total de
FORCE du chien, rendez-vous au **120**. Si vous avez le
talent de ZOOLOGISTE, rendez-vous au **47** sans combattre.

80
Alors que vous vous apprêtez à tirer une deuxième
fois, un autre coup de feu éclate. Une tache rouge
apparaît aussitôt entre les deux yeux de votre adversaire qui s'écroule sur le sol, tué net. Vous vous
retournez : c'est M. de Joubeuf qui vient de tirer.
— Se battre contre une femme ! s'indigne-t-il, et un
domestique, qui plus est ! Etes-vous blessée,
Altesse ?
— Non, non, ce n'est rien.
Vous vous hâtez d'aller voir à l'intérieur de la nacelle
et vous vous rendez au **165** pour découvrir ce qu'elle
contient.

— Allons, dépêchez-vous de me montrer cette pièce, lancez-vous d'un ton cassant, je n'ai pas de temps à perdre.

Le vieillard vous regarde d'un air stupéfait, puis il vous referme brutalement la porte au nez. Vous avez beau frapper contre le panneau, il refuse de vous ouvrir à nouveau. Inutile d'insister, vous n'avez plus qu'à reprendre votre cheval qui se trouve non loin d'ici. Qu'allez-vous faire à présent que vous n'ayez déjà fait ?

Vous rendre chez un certain Mouillard, graveur ?	Rendez-vous au **131**
Aller louer la chambre 4 à l'auberge du Pont-Marie ?	Rendez-vous au **143**
Retourner chez M. de la Gaillottière en espérant qu'on vous donnera des nouvelles de sa santé ?	Rendez-vous au **155**
Aller faire des achats que vous estimez indispensables ?	Rendez-vous au **24**

— N'ayez crainte, ce que je veux vous montrer prouve que l'affaire n'est pas si simple que vous l'avez cru.

— Encore faut-il que vous disiez vrai.

— Eh bien, entrons, proposez-vous, et nous verrons bien si j'ai menti.

Rendez-vous au **232**.

Vous sortez votre pistolet et Bastien Frontouillard le sien. Vous allez devoir livrer un Assaut contre lui.

Vous calculerez votre rapidité selon la règle habituelle pour savoir qui a dégainé le premier.

BASTIEN
FRONTOUILLARD   MAÎTRISE : 18   FORCE : 20
,

Si vous survivez à cet assaut, rendez-vous au **80**.

84
Le cheval étant détaché de son piquet, si vous parvenez à l'enfourcher suffisamment vite, vous pourrez peut-être vous enfuir au galop, mais l'entreprise est risquée, car l'homme est à deux pas de vous, prêt à vous frapper. Vous allez malgré tout faire une tentative. Lancez un dé : si vous obtenez 1 ou 6, rendez-vous au **26**. Si vous obtenez 2 ou 5, rendez-vous au **41**. Enfin, si vous obtenez 3 ou 4, rendez-vous au **69**.

85
Grâce à cette carte, vous parvenez à atteindre la nacelle de Bastien Frontouillard sans le moindre dommage et vous vous rendez directement au **259**.

86
Cette visite chez M. de Joubeuf ne vous aura pas apporté grand-chose. En apprendrez-vous davantage en assistant demain au vol de l'aérostat ? Peut-être, qui sait ? En tout cas, vous n'avez plus rien à faire ici pour l'instant et vous prenez congé de M. de Joubeuf pour retourner à Paris où, ne l'oubliez pas, vous avez rendez-vous à 4 heures avec le commissaire Du Réner devant l'auberge du Pont-Marie. Mais avant toute chose, vous allez devoir remettre vos vêtements d'homme et, une fois rentrée place Dauphine, renvoyer votre voiture de louage dont vous n'aurez plus besoin cet après-midi. Après vous être changée, vous pourrez, si vous le désirez, pren-

dre un repas dans une auberge. Il vous en coûtera
40 sols et vous regagnerez 2 points de FORCE. Si
vous souhaitez, en sortant de table, rendre visite à
M. de Courtemare, rendez-vous au **279**. Si vous préférez aller directement à l'auberge du Pont-Marie
pour y retrouver le commissaire, rendez-vous au
241.

87

Le destin a décidé de vous sourire largement en vous
faisant tirer cette carte. Vous parvenez en effet très
facilement à atteindre la nacelle, et lorsque vous y
grimpez, Bastien Frontouillard perd soudain
l'équilibre. Il bascule par-dessus bord et tombe dans
le vide. Vous avez donc remporté la victoire sans
avoir eu besoin de livrer un seul Assaut. Rendez-
vous au **276**.

88

— Et j'ai la conviction que Frontouillard est également l'assassin de Thibaud de Ponsac, assurez-vous.
— Bastien, assassiner Thibaud ? s'étonne Eloi de
Courtemare.
— Il aura donné un faux témoignage en prétendant
avoir vu un homme au masque noir poignarder son
maître. Si j'en crois le commissaire Du Réner, la
dague qui a servi à tuer monsieur de Ponsac était
accrochée à l'un des murs de la pièce. Qui mieux
qu'un domestique de la maison pouvait connaître
l'existence de cette dague et s'en emparer pour commettre le forfait ? Un assassin venu de l'extérieur
aurait emporté sa propre arme avec lui.
— Bastien Frontouillard, l'assassin de Thibaud !
C'est incroyable, soupire Eloi de Courtemare. Il
semblait si attaché à son maître... Mais ce n'est certainement pas lui le cerveau de toute l'affaire.
L'homme est trop simple pour être autre chose

qu'un instrument au service de chefs plus redoutables encore. Qui se trouve à la tête de cette monstrueuse machination ? C'est cela qu'il faut découvrir.

— Et c'est ce que je découvrirai, affirmez-vous d'un air décidé. En attendant, je dois retourner à l'auberge du Pont-Marie où le commissaire Du Réner m'attend. Ensuite, je me rendrai au bal masqué que donne ce soir madame de Sainte-Mouffle. Avez-vous également été invité ?

— Oui, mais ces réjouissances m'ennuient, je n'irai pas.

Vous quittez alors M. de Courtemare qui sort en même temps que vous après avoir chaussé les sabots qu'il affectionne tant. Peut-être auriez-vous envie de le suivre pour savoir où il va ainsi ? Vous n'en avez malheureusement pas le temps, car l'heure est venue de vous rendre au **241** pour retrouver le commissaire Du Réner.

89

Vous avez posé votre épée contre le mur, à portée de main et il vous suffit de tendre le bras pour vous en saisir. Brandissant votre arme, vous vous levez d'un bond. L'homme a entendu du bruit derrière lui et il fait brusquement volte-face. Vêtu d'une cape rouge, il porte sur le visage un masque également rouge : c'est sans aucun doute l'individu qui a tenté d'assassiner le baron de la Gaillottière. Vous vous ruez sur lui, mais, de sa main gauche, il dégaine aussitôt sa propre épée et se tient prêt à se défendre. Vous allez devoir vous battre.

HOMME
AU MASQUE
DE SANG   MAÎTRISE : 18   FORCE : 20

Si vous parvenez à blesser votre adversaire par trois fois, rendez-vous au **76**. Vous n'avez pas le droit de prendre la fuite et vous devrez obligatoirement infliger 3 blessures à l'homme en rouge, pas une de plus ni de moins, avant de vous rendre au numéro indiqué.

90

L'homme à la voix solennelle vous arrache votre masque.

— Tiens, tiens, notre ami le prince russe ! s'exclame-t-il en éclatant de rire. Vous avez donc assisté à notre réunion ? Eh bien, nous sommes très heureux de vous accueillir. Attachez-le, vous autres !

En quelques instants, on vous ligote, on vous bâillonne et on vous jette à terre. L'homme aux sabots a aidé ses compagnons à vous neutraliser mais, alors qu'il se penche sur vous pour faire semblant de vérifier la solidité de vos liens, il vous chuchote à l'oreille :

— N'ayez crainte, je reviendrai...

L'homme à la voix solennelle s'approche ensuite de vous :

— Lorsque le bal sera terminé, dit-il, nous reviendrons régler votre sort. En attendant, confiez votre âme à Dieu, priez, priez, priez pour qu'il vous accorde son pardon...

Tout le monde sort alors de la pièce ; vous entendez une clé tourner dans la serrure puis des pas s'éloigner. Bientôt, c'est le silence. Les torches accrochées aux murs continuent de brûler, mais elles sont trop hautes pour que vous puissiez les atteindre et vous en servir pour consumer vos liens. La porte est trop massive pour être enfoncée et la lucarne aménagée dans le toit reste hors d'atteinte. On n'a pas pensé à vous enlever vos armes, mais il vous est impossible de vous en saisir, vos mains étant attachées derrière le dos. Il ne vous reste plus qu'à attendre. L'homme aux sabots va-t-il véritablement venir à votre secours ? Et d'abord, qui est-il ? M. de Courtemare en mission d'espionnage, ou... qui ? Vous ne savez plus que penser et la fatigue vous gagne. Quelques minutes plus tard, vous sombrez dans un sommeil profond qui vous emporte au **211**.

91

Si vous connaissez déjà le nom de l'homme au masque rouge, rendez-vous au **236**. Sinon, rendez-vous au **99**.

92

— Monseigneur ! s'exclame M. de Joubeuf, visiblement ravi de vous revoir. Allez-vous me faire l'honneur d'assister au vol de mon aérostat ?

Vous lui expliquez alors le plus brièvement possible le projet d'attentat auquel doit servir son ballon.

— Comment ? Mais c'est affreux ! s'écrie-t-il, il faut arriver là-bas au plus vite.

Archibald de Joubeuf donne l'ordre à son cocher de fouetter ses chevaux et vous galopez à côté du carrosse. Lorsque vous parvenez au Champ-de-Mars, une foule est rassemblée autour de deux ballons attachés au sol par des cordes.

— Il y en a deux ? vous étonnez-vous.

— J'en avais prévu un de secours au cas où le premier n'aurait pas bien fonctionné.

Le carrosse fend la foule des spectateurs et s'arrête près des deux ballons. D'un bond, vous sautez à bas de votre cheval. Si vous connaissez l'identité de l'homme au masque rouge qui s'est introduit dans votre chambre l'autre nuit, rendez-vous au **110**. Si vous ignorez toujours qui il est, rendez-vous au **117**.

— Je me suis tout d'abord lancé aux trousses de l'homme au masque rouge, expliquez-vous à Du Réner. Je n'ai pas pu le rattraper, mais dans sa fuite, il a perdu ceci.

Vous lui montrez le masque qu'il examine avec attention.

— Je crains, hélas ! que cet objet ne nous aide guère à découvrir le coupable. Il se vend n'importe où de tels masques et celui-ci ne porte aucune marque particulière. Je vous remercie cependant de me l'avoir confié, déclare le commissaire en glissant le masque dans sa poche.

Vous n'aviez pas prévu que Du Réner conserverait l'objet et vous regrettez à présent de le lui avoir donné ; il aurait peut-être pu se révéler utile au cours de votre enquête. Hélas ! il est trop tard : vous pouvez dire adieu à cette pièce à conviction. Il vous faudra faire preuve à l'avenir d'un peu plus de circonspection.

— D'autres détails vous ont-ils frappé ? demande alors le commissaire.

Rendez-vous au **74** pour lui apporter votre réponse.

Vous donnez 1 louis d'or au marchand et vous avalez sa poudre. Bien vous en prend : il s'agit véritablement d'un produit miracle qui vous rend aussitôt 8 points de FORCE. Profitant de cette vigueur nouvelle, vous continuez vos recherches en vous rendant au **59**.

Vous vous précipitez vers l'homme en rouge, mais soudain, la chandelle, dont la flamme éclairait faiblement la cave, s'éteint. Vous vous retrouvez dans une obscurité totale tandis que vous entendez un claquement de porte suivi de pas précipités qui s'éloignent. Votre adversaire a réussi à s'enfuir et il est inutile de le poursuivre, vous ne parviendriez pas à le rattraper. Vous préférez donc remonter l'escalier jusqu'à la chambre où vous prenez votre lampe ; vous redescendez ensuite pour examiner la cave. Rendez-vous au **190**.

96

— Mais... Dans ce cas... Frontouillard serait lui-même l'assassin de M. de Ponsac ! vous écriez-vous.
— Bastien, assassiner Thibaud ? s'étonne Eloi de Courtemare.
— Il aura donné un faux témoignage en prétendant avoir vu un homme portant un masque noir poignarder son maître. Si j'en crois le commissaire Du Réner, la dague qui a servi à tuer M. de Ponsac était accrochée à l'un des murs de la pièce. Qui mieux qu'un domestique de la maison pouvait connaître l'existence de cette dague et s'en emparer pour commettre le forfait ? Un assassin venu de l'extérieur aurait emporté sa propre arme avec lui.
— Bastien Frontouillard, l'assassin de Thibaud ! C'est incroyable, soupire Eloi de Courtemare. Il semblait si attaché à son maître... Mais ce n'est certainement pas lui le cerveau de toute l'affaire. L'homme est trop simple pour être autre chose qu'un instrument au service de chefs plus redoutables encore. Qui se trouve à la tête de cette monstrueuse machination ? C'est cela qu'il faut découvrir.
— Et c'est ce que je découvrirai, assurez-vous d'un air décidé. Dans l'immédiat, le commissaire Du Réner sera bien obligé de réviser son jugement quand il verra le passage secret menant de la chambre 4 à la cave et l'arsenal que celle-ci contient.

— Toutes ces armes sont sans nul doute destinées à la confrérie du Masque de Sang, et je crains qu'elles ne servent de bien noirs projets.

— La police les saisira, faites-vous remarquer.

— Je l'espère... répond Eloi de Courtemare d'un air énigmatique. Que comptez-vous faire à présent ?

Bonne question, en effet.

Si vous souhaitez rendre visite à Archibald de Joubeuf qui a pris Bastien Frontouillard à son service après la mort de Thibaud de Ponsac, rendez-vous au **40**. Dans le cas contraire, vous pouvez prendre un repas dans une auberge en attendant l'heure du rendez-vous avec le commissaire Du Réner. Il vous en coûtera 40 sols et vous regagnerez 2 points de FORCE. Vous vous rendrez ensuite au **241** pour retrouver le commissaire à qui vous avez décidément beaucoup de choses à dire.

97

Cette carte vous est fatale. Conséquence du choc, en effet, la lanterne accrochée au bateau du Masque de Sang est tombée sur un baril de poudre. Une terrible explosion se produit alors et tue tout le monde, vous-mêmes et vos ennemis. Voilà une fin spectaculaire, c'est votre seule consolation. En tout cas votre mission est terminée.

98

Vous suivez le sentier que vous aviez aperçu depuis la grotte et vous descendez le flanc de la colline au sommet de laquelle vous vous trouviez. Des carrières sont creusées en divers endroits et des ouvriers en extraient des blocs de pierre. Une pancarte indique : butte de Chaumont. Lorsque vous atteignez le bas de la colline, vous empruntez une route qui mène vers les maisons que l'on peut voir à quelque distance. Vous continuez dans cette direction et après avoir parcouru environ un quart de lieue, vous arrivez sur une place. Une foule rassemblée un peu plus loin semble assister à un spectacle. Vous ralentissez l'allure et vous regardez autour de vous pour essayer de vous repérer. Un écriteau indique : Place du Combat. Si vous souhaitez vous approcher de la foule, rendez-vous au **15**. Si vous préférez poursuivre votre chemin, rendez-vous au **141**.

99

Soudain, l'un des hommes qui travaille près de l'aérostat, et dont, jusqu'à présent, vous n'aperceviez que le dos, se retourne. Vous restez alors bouche bée en reconnaissant formellement l'individu que vous avez démasqué la nuit précédente. Archibald de Joubeuf a remarqué votre réaction de stupeur.

— Eh bien, qu'y a-t-il, Altesse ? s'inquiète-t-il.

— Cet homme, répondez-vous en désignant le personnage, qui est cet homme ?

— Mais c'est Bastien, l'un de mes domestiques, déclare M. de Joubeuf.

— Je... Je croyais avoir reconnu quelqu'un d'autre, mentez-vous en vous efforçant de reprendre contenance.

Bastien vous a vue, mais, habillée comme vous l'êtes, il ne vous reconnaît pas. La nuit dernière, il vous a prise pour un homme et ne peut se douter que cette jeune femme élégante et gracieuse au côté de M. de Joubeuf est la même personne qui lui a arraché son masque dans la cave de l'auberge du Pont-Marie. C'est donc en toute tranquillité qu'il poursuit sa besogne sans vous prêter attention.

— Quel est le nom de famille de cet homme ? interrogez-vous pour avoir pleine confirmation de la vérité.

— Frontouillard. Bastien Frontouillard. C'est un de mes meilleurs domestiques, il a servi dans les plus grandes maisons. Ses gages sont élevés, mais c'est un serviteur loyal qui s'est enthousiasmé pour mes ballons. Je le crois même capable d'exécuter lui-même des vols. Demain, en tout cas, c'est moi qui volerai. Je compte survoler Paris aussi longtemps que possible et me poser en douceur à l'endroit que j'aurai choisi lorsque je connaîtrai la direction du vent. Me ferez-vous l'honneur, Altesse, d'assister demain à cette expérience ? Je m'élèverai dans les airs au Champ-de-Mars à 8 heures du matin et si vous le désirez, je viendrai moi-même vous chercher pour vous amener sur place.

Si vous souhaitez accepter cette invitation, vous donnez rendez-vous à M. de Joubeuf pour le lendemain à 7 h 30 place Dauphine. Sinon, vous réservez votre réponse en assurant à votre interlocuteur que vous seriez ravie de le voir s'envoler dans son ballon mais que vous n'êtes pas sûre d'être disponible à cette heure-là.

Dans l'un et l'autre cas, vous n'avez plus rien à faire ici. Vous êtes encore sous le choc de votre découverte. Bastien Frontouillard, l'homme au masque de sang ! Ce serait donc lui, l'assassin de Thibaud de Ponsac ! Et ce serait à cause de lui que Hensock le Follet a été mis en prison ! Il vous tarde de revenir à Paris pour faire cette révélation au commissaire Du Réner avec qui vous avez rendez-vous à 4 heures devant l'auberge du Pont-Marie. Bien que M. de Joubeuf essaie de vous retenir en vous proposant un rafraîchissement, vous vous hâtez de quitter les lieux. Avant toute chose, vous allez devoir remettre vos vêtements d'homme et, une fois rentrée place Dauphine, renvoyer votre voiture de louage dont vous n'aurez plus besoin cet après-midi. Après vous être changée, vous pourrez, si vous le désirez, prendre un repas dans une auberge. Il vous en coûtera 40 sols et vous regagnerez 2 points de FORCE. En sortant de table, vous pourrez rendre visite à M. de Courtemare en vous rendant au **240**, ou aller directement à l'auberge du Pont-Marie pour y retrouver le commissaire. Rendez-vous pour cela au **241**.

100

Sang = cent. C'était simple. Encore fallait-il y penser, ce que vous avez su faire. Bravo ! Après avoir fait tourner les roues dentées de telle sorte qu'elles forment ce chiffre à leur intersection, vous entendez un grondement : c'est le mécanisme d'ouverture des mâchoires du lion qui s'est mis en branle. Vous pouvez alors passer et vous vous retrouvez dans la gueule de l'animal. De l'autre côté, un système de roues semblable permet de refermer et de rouvrir les mâchoires, mais pour l'instant, vous préférez les laisser béantes pour faciliter votre fuite éventuelle. Vous pénétrez à présent dans un autre couloir, toujours éclairé par des lampes à huile. Au fur et à mesure que vous avancez, vous percevez l'écho de conversations qui se tiennent un peu plus loin. Bientôt, vous arrivez en vue d'une grande porte entrouverte. Vous jetez un coup d'œil par l'entrebâillement et vous apercevez une bonne vingtaine de personnes, des hommes en majorité, qui, toutes, portent un Masque de Sang. Les Frères sont réunis dans une immense salle qui ressemble à une caverne. Vous vous trouvez sans doute dans les catacombes de Paris.

— Et maintenant, dit une voix, vous allez assister, mes très chers frères à un spectacle de choix.

Cette voix vous la reconnaissez : c'est celle de

l'homme qui présidait la réunion chez Mme de Sainte-Mouffle.

— Je laisse à notre frère le soin de vous présenter ce spectacle.

Une autre voix s'élève aussitôt.

— Mes frères, mes sœurs, dit un homme, nous avons décidé comme vous le savez de terroriser ceux qui sèment le désordre dans la rue. Car seul le pouvoir de la peur mettra fin aux agissements des factieux qui menacent l'ordre divin de la monarchie absolue. Plus que jamais notre devise est : par le sang du Seigneur...

— Coule le sang du peuple, achèvent les autres.

Vous avez reconnu avec stupéfaction la voix de l'homme qui parle : c'est celle du commissaire Du Réner. Du Réner, membre de la confrérie ? Rien d'étonnant qu'il n'ait jamais voulu reprendre son enquête ! C'est à croire que le Masque de Sang est partout !

— Un attentat a mis fin, il y a moins d'une heure à la carrière de M. de Courtemare, annonce Du Réner.

Aussitôt, des applaudissements retentissent.

— Mais il y aura d'autres attentats, poursuit le commissaire et voici l'une des méthodes que nous emploierons.

Il lève alors la main et une troupe de saltimbanques entre dans la salle par une petite porte située au fond. Une rumeur étonnée accueille cette apparition.

— Je comprends votre surprise, reprend Du Réner, mais rassurez-vous, ces hommes sont des hommes à nous, prêts à mourir pour notre cause, et non pas de vulgaires amuseurs de rue. Mais écoutez plutôt : les saltimbanques que vous voyez là, avec leurs déguisements de diable ou d'animaux, auront pour mission

100 *Avant que vous n'ayez eu le temps de réagir, l'homme au masque de diable jette son soleil enflammé en direction de la porte.*

de donner au peuple les spectacles qu'il affectionne tant. Nombreux seront les badauds qui se réuniront autour de cette joyeuse troupe pour assister à des cabrioles ou des saynètes vulgaires dont les Parisiens raffolent. Que se passera-t-il alors ? Il se passera ceci. Messieurs ! Faites parler la poudre !

L'un des saltimbanques au visage dissimulé sous un masque de diable allume un soleil, tels ceux que l'on fait tournoyer dans le ciel lors des feux d'artifice.

— Voyez cette porte, reprend Du Réner en désignant l'endroit où vous vous trouvez.

Avant que vous n'ayez eu le temps de réagir, l'homme au masque de diable jette son soleil enflammé en direction de la porte. Vous voyez arriver droit sur vous cette boule de feu qui vous aveugle tant sa clarté est éclatante. Il vous faut à présent tenter obligatoirement un coup d'audace. Si vous tirez :

La Licorne	Rendez-vous au **280**
Le Serpent	Rendez-vous au **273**
L'Etoile du Nord	Rendez-vous au **205**
La Couronne	Rendez-vous au **237**
Le Poignard	Rendez-vous au **285**
L'ondine	Rendez-vous au **289**

101

— Entre, mon garçon, si tu veux du spectacle, tu ne seras pas déçu, dit l'homme qui vend les billets devant la barrière.

Vous lui donnez alors l'un de vos louis d'or.

— Oh, oh, mazette ! s'exclame l'homme, c'est que tu as du jaunet dans ta bourse, l'ami ! On ne dirait pas à te voir attifé ainsi, comme un gueux des campagnes ! Et cette épée au côté, où l'as-tu donc dénichée ? A Azincourt ou au siège d'Orléans ?

Il éclate de rire, ravi de sa plaisanterie et vous rend

votre monnaie, soit 3 écus, un demi-écu et 30 sols. Vous passez aussitôt la barrière pour vous approcher de la fosse. Pour le moment, celle-ci est vide, mais un bonimenteur annonce le spectacle qui va avoir lieu dans quelques instants.

— Et maintenant, bonnes gens, vous allez assister au spectacle le plus cruel, le plus sanguinaire qui se soit jamais livré sur cette place ! Un combat qui va opposer, écoutez-moi bien, un tigre, oui, j'ai bien dit un tigre ! Un tigre, dis-je, et un verrat, un gros et gras verrat, plein de hargne et de méchante humeur, tout prêt à en découdre avec le seigneur de la jungle !

— Voulez-vous parier sur le vainqueur, Monsieur ? vous demande alors un homme au sourire cordial. Pour 1 louis, vous en ramasserez 5 si vous gagnez. Allons, laissez-vous tenter et vous repartirez la bourse aussi rebondie que les flancs du verrat.

Si vous souhaitez parier, rendez-vous au **20**. Si vous préférez vous en abstenir, rendez-vous au **202**.

102

— Prends cette arme ! s'écrie votre frère en vous lançant une épée qu'il conservait dans son bateau.

Si vous devez combattre 5 adversaires, vous en affronterez 2 vous-même et votre frère 3. S'ils sont 6, vous en affronterez toujours 2, mais votre frère 4. Vous pourrez vous battre soit à l'épée, soit au pistolet si vous en possédez un. Votre frère, lui, se bat seulement à l'épée. L'eau qui s'est engouffrée par la brèche a mouillé la poudre contenue dans le bateau du Masque de Sang. Vos ennemis ne peuvent donc pas se servir de leur arsenal. L'un d'eux, cependant, dispose d'un pistolet à un coup. Si vous l'affrontez à l'épée, il vous infligera automatiquement une blessure au 1er Assaut. Calculez la gravité de cette blessure, puis continuez le combat normalement :

l'homme n'ayant pas le temps de recharger se battra ensuite à l'épée. Si vous l'affrontez au pistolet, vous vous reporterez aux règles habituelles. Votre frère possède le même total de FORCE que vous, mais il a 2 points de MAÎTRISE en plus. Répartissez les adversaires à votre convenance. C'est votre frère qui doit se battre le premier. S'il tue ses adversaires, il pourra vous prêter main-forte pour combattre l'un des vôtres, et un seul. Vous livrerez alors chacun un Assaut, à tour de rôle, jusqu'à la victoire... ou la défaite. Vous devrez obligatoirement vous battre seule contre l'adversaire restant.

	MAÎTRISE	FORCE
HOMME AU PISTOLET	16	12
2e HOMME	15	11
3e HOMME	15	11
4e HOMME	14	12
5e HOMME	16	15
6e HOMME	15	13

Si vous ne devez affronter que 5 adversaires, vous pouvez faire tomber à l'eau celui qui vous convient, *à l'exception* de l'homme au pistolet que votre frère ou vous devrez obligatoirement combattre. Si vous possédez un pistolet et que vous souhaitiez vous en servir contre un adversaire armé d'une simple épée, vous pourrez le faire, mais sachez que vous n'aurez pas le temps de le recharger. Une fois votre pistolet vide, vous devrez en revenir à l'épée, *même si vous devez ensuite combattre l'homme au pistolet.* Tant que vous pourrez faire usage de votre pistolet — selon le modèle que vous avez acheté — contre un ennemi armé d'une épée, vous lancerez un dé à chaque Assaut et vous augmenterez votre total de

MAÎTRISE d'autant de points que le chiffre obtenu. Si vous remportez la victoire, rendez-vous au **136**. Si votre frère est tué, rendez-vous au **243**. Enfin, si vous préférez tenter un coup d'audace, rendez-vous directement au **144** sans vous battre.

103

Sous l'effet de la douleur, l'homme a lâché son pistolet qui tombe sur le sol. Vous vous précipitez sur votre adversaire, mais à ce moment, la chandelle, dont la flamme éclaire faiblement la cave, s'éteint. Vous vous retrouvez dans une obscurité totale et l'homme en rouge en profite alors pour prendre la fuite. Vous entendez une porte claquer, des pas précipités qui s'éloignent, puis plus rien. Inutile de poursuivre votre agresseur, vous ne parviendriez pas à le rattraper. Vous préférez donc remonter l'escalier jusqu'à la chambre où vous prenez votre lampe ; vous redescendez ensuite pour examiner la cave. Rendez-vous au **190**.

104

Un murmure dans la foule qui vous entoure annonce l'arrivée de la police. Tout aussitôt, votre adversaire interrompt le combat et prend la fuite. Vous feriez bien de l'imiter avant qu'on ne vous arrête pour désordre sur la voie publique. Vous vous hâtez donc de revenir sur vos pas et de reprendre votre cheval. Fort heureusement, la police n'a pas eu le temps de vous repérer et vous ne risquez pas l'arrestation. Mais évitez à l'avenir d'être cause d'esclandre. A présent, que souhaiteriez-vous faire que vous n'ayez déjà fait ?

Vous rendre chez Clotilde
de Sainte-Mouffle ?   Rendez-vous au **29**

Aller à l'auberge du Pont-
Marie pour y louer la
chambre 4 ?   Rendez-vous au **143**

Aller faire quelques achats
que vous estimez indispen-
sables ?   Rendez-vous au **24**

105

L'un des hommes aux masques rouges se lève enfin. C'est celui qui est assis au bout de la table, près de M. de Courtemare.
— Frères aux masques de sang, dit-il d'une voix solennelle, nous avons ce soir à débattre de graves questions. Tandis que les esprits frivoles se divertissent au son des menuets, sachons élever nos pensées vers notre seigneur Dieu qui nous a donné mission d'exécuter ses volontés pour le salut de la France. Les ennemis de la religion et de l'ordre social se sont coalisés pour faire triompher le Mal. Repoussons les démons de la nouvelle Babylone et que par le sang du Seigneur...
— ... coule le sang du peuple, achèvent en chœur les autres membres de la confrérie.
La voix de cet homme vous dit quelque chose, mais elle est déformée par le masque qui lui couvre le visage et vous êtes incapable de la reconnaître.
— Parlons tout d'abord de la cachette d'armes découverte par ce pseudo-prince russe.
— Qui en fait s'appelle Lefollet, dit quelqu'un d'autre.

— Lefollet ! s'exclame l'homme à la voix solennelle, Ha ! Ha ! Ha ! voilà un nom qui convient à merveille à ces deux insensés !

Vous ressentez tout à la fois une appréhension bien légitime et une fureur que vous avez du mal à contrôler : vous faire traiter d'insensé par ces fous furieux ! Quelle dérision !

— Nous avons donc provisoirement entreposé ces armes et ces munitions dans les souterrains de l'auberge du Pont-Marie. Cette nuit même, nos hommes les chargeront à bord d'un bateau pour les mettre en lieu sûr. Grâce à cet arsenal, nous pourrons contribuer à réprimer les mouvements de révolte qui agitent le peuple. La populace paiera cher ses extravagances !

— Coule le sang du peuple, répètent en chœur les participants.

— Le transfert aura lieu à 4 heures ce matin, reprend l'homme, les armes seront amenées dans une nouvelle cachette et resteront disponibles à tout moment. Venons-en maintenant au deuxième sujet de notre réunion et qui n'est pas des moindres. Demain, le peuple de Paris, poussé par des factieux, envahira à nouveau les rues de la capitale. L'annonce du renvoi de Necker aujourd'hui même a poussé la racaille à la révolte. Nous allons mettre un terme à cette révolte. Voici comment : demain matin, à 8 heures, cet imbécile d'Archibald Joudebeuf...

Tout le monde éclate de rire autour de la table.

— Cet imbécile, poursuit l'homme, doit s'envoler dans les airs à bord de son aérostat. Mais en allant au Champ-de-Mars, M. Joudebeuf aura un petit accident, rue de la Fontaine, très exactement. Il doit en effet quitter sa maison à 7 h 30. Cinq minutes plus tard, devant l'*Auberge du Veau Mollet*, son carrosse sera malencontreusement coincé de telle sorte qu'il ne pourra plus bouger. Pendant ce temps, l'un de nos hommes, parmi nos plus fidèles serviteurs, s'envolera à la place de Joudebeuf. Dans la nacelle, il emportera une machine infernale qu'il jettera sur la populace en révolte. Il y aura plus de cent morts d'un seul coup et nul ne pourra rattraper l'aérostat.

— Magnifique ! s'exclame la femme.

— Cela fera réfléchir les gueux, dit quelqu'un d'autre.

— Je voudrais à présent vous donner une information qui ne manquera pas de vous intéresser, reprend l'homme à la voix solennelle, le roi a pris ce soir même la décision de nommer M. de Courtemare ministre.

— Quoi ? s'écrie la femme d'une voix suraiguë.

— Cet allié du peuple ? Cet infâme démocrate ? s'exclame quelqu'un.

— Rassurez-vous, mes amis, des dispositions sont déjà prises pour que la carrière de Courtemare s'achève prématurément. L'homme aime à flâner dans Paris, chaussé de ses sabots ; ses promenades lui coûteront la vie. M. de Courtemare affectionne tout particulièrement les galeries du Palais-Royal. Il y fera demain ses derniers pas.

— Excellent ! s'écrie la femme.

Pour votre part, vous n'y comprenez plus rien. D'une part, vous ne saviez pas que M. de Courtemare était susceptible de devenir ministre du roi, d'autre part, vous aviez jusqu'à maintenant la conviction qu'il était présent à cette réunion. Mais serait-ce vraiment lui qui serait ainsi venu se jeter dans la gueule du loup ? Qui est donc l'homme aux sabots ? Et pourquoi vous a-t-il apporté son aide pour que vous puissiez assister à la réunion ? Vos réflexions sont cependant interrompues par l'homme à la voix solennelle qui poursuit son exposé :

— Pour finir, il nous faut encore parler du faux prince russe.

Si vous portez un masque rouge, rendez-vous au **267**. Dans le cas contraire, rendez-vous au **33**.

106

Vous galopez en direction d'Auteuil après avoir acheté à un marchand ambulant, pour la somme de 40 sols, un chapelet de saucisses et un cuissot de chevreuil. Vous avalez ce solide petit déjeuner tout en chevauchant, ce qui n'est certes pas de la dernière élégance, mais vous n'en gagnez pas moins 4 points de FORCE dont vous avez probablement grand besoin. Lorsque vous arrivez en vue du village d'Auteuil, il est déjà 7 h 25 et vous vous demandez si vous allez parvenir chez M. de Joubeuf à temps. Le temps ! Quand on pense qu'il n'existe pas dans votre royaume, alors qu'ici, chaque seconde compte ! Mais inutile de philosopher, il faut galoper et galoper encore. A 7 h 30, vous vous engagez dans la rue La Fontaine. Non, décidément, vous ne parviendrez pas à temps rue des Perchamps, chez M. de Joubeuf.

En revanche, à 7 h 34, vous arrivez à proximité de l'*Auberge du Veau Mollet* devant laquelle vous savez qu'on doit tenter d'immobiliser le carrosse d'Archibald de Joubeuf. Justement, ce carrosse, vous l'apercevez un peu plus loin, tiré par deux chevaux et roulant à bonne allure le long de la rue. Mais vous apercevez également un amas de tonneaux devant l'auberge. Les tonneaux sont couchés les uns sur les autres, formant un énorme tas. Monté sur un escabeau un homme s'apprête, à l'aide d'un levier, à les faire rouler sur la chaussée, devant le carrosse dont le cocher n'a rien vu. Si vous possédez un pistolet, rendez-vous au **73**. Si vous n'avez qu'une épée, rendez-vous au **132**.

107

Vous êtes actuellement habillée en homme, mais rien ne vous interdit de reprendre, à l'occasion, votre apparence féminine. Vous allez donc pouvoir acheter tout à la fois des vêtements d'homme et des vêtements de femme. En certaines circonstances, vous aurez en effet tout intérêt à redevenir vous-même : il n'est pas rare que les femmes réussissent là où les hommes échouent. Compte tenu des obligations mondaines auxquelles vous devrez sans aucun doute sacrifier dans la suite des événements, il vous sera utile d'acquérir certaines toilettes indispensables pour être bien reçue dans les salons. Les sœurs Bouchebet tiennent justement une boutique de mode où vous pourrez faire vos achats. Choisissez ce qui vous convient dans la liste ci-dessous et payez le prix demandé avant de retourner au **24** pour prendre d'autres décisions. Les articles encombrants vous seront livrés le soir même à l'auberge du Pont-Marie, vous n'aurez donc pas à les transporter avec vous.

Accessoires et vêtements masculins :
- Garnitures de dentelles pour cols et poignets (1 louis)
- Souliers vernis (2 louis)
- Redingote de satin à parements dorés (10 louis)

Accessoires et vêtements féminins :
- Robe de satin avec rubans et garnitures de dentelles (5 louis)
- Perruque haute ornée de rubans (indispensable pour une femme) (2 louis)
- Souliers à empeigne brodée (2 louis)
- Eventail (2 écus)

Autres accessoires :
- Poudre pour perruque (10 sols)
- Masque pour bal costumé (1 écu)

108

La Princesse du Temps expire sous vos yeux et vous tombez à genoux auprès d'elle en sanglotant. L'un de vos adversaires en profite pour vous attaquer par derrière. Il vous transperce le corps de son épée et votre cadavre s'effondre sur celui de votre sœur. Vous êtes morts vaillamment tous les deux, mais hélas, votre mission a échoué.

109

Vous avez bien entendu la possibilité de reprendre votre identité féminine pour vous présenter chez Archibald de Joubeuf. Mais pour cela, il vous faut obligatoirement acquérir des habits de femme. Si vous souhaitez redevenir femme et que vous ayez déjà acheté chez les sœurs Bouchebet une robe de satin et une perruque, rendez-vous au **157**. Sinon, vous pouvez encore faire cet achat ; il vous en coûtera 7 louis, 5 louis pour la robe, 2 pour la perruque.

Lorsque vous aurez payé ce prix, vous pourrez vous habiller en femme en vous rendant au **157**. Si vous préférez conserver une apparence masculine, rendez-vous au **6**.

110

Comme vous pouviez vous en douter, c'est Bastien Frontouillard qui s'apprêtait à prendre place à bord de l'aérostat. En vous voyant vous précipiter vers lui, il tente de monter dans la nacelle. Si vous avez une épée mais pas de pistolet, rendez-vous au **122**. Si vous possédez un pistolet, rendez-vous au **169**.

111

— Un louis ? s'exclame l'homme d'un air incrédule. Un louis pour mon cheval ? Quelle impudence ! Allez, passe ton chemin avant qu'il ne me prenne l'envie de te caresser les côtes !

Vous avez fait preuve d'une pingrerie regrettable, car l'homme, désormais, ne veut plus rien entendre, à moins que vous ne lui fassiez une nouvelle proposition beaucoup plus consistante. Si vous souhaitez lui proposer 4 louis, rendez-vous au **187**. Si vous pensez qu'il vaut mieux lui donner vos 5 louis pour obtenir son cheval, rendez-vous au **121**. Enfin, si, à la réflexion, vous préférez essayer de le lui voler, rendez-vous au **84**.

112

Vous passez commande à l'aubergiste qui vous apporte une demi-heure plus tard un plantureux repas composé de pâté en croûte, de gigue de chevreuil à la mousse de groseille et d'aiguillettes de perdrix aux champignons. Ces mets vous paraissent bigrement appétissants et vous passez à table après avoir payé 40 sols à l'aubergiste. Si vous avez le talent de BOTANISTE, rendez-vous au **152**. Sinon, vous avalez goulûment votre souper puis vous faites débarrasser les plats. Rendez-vous alors au **37**.

113

Aucun des tiroirs du secrétaire n'est fermé à clé et vous avez donc tout loisir de parcourir les papiers qui y sont rangés. Ce sont, pour la plupart, des liasses de lettres que vous feuilletez rapidement. Bientôt, cependant, l'une de ces lettres attire votre attention : elle porte en effet le nom de Thibaud de Ponsac en en-tête. Thibaud de Ponsac ! Vous ne pouviez avoir la main plus heureuse ! « Chère Clotilde, est-il écrit, vous avez fait de moi le plus heureux des hommes, et comme je vous l'ai promis, jamais je ne laisserai le démon de la jalousie vaincre en moi le souvenir du bonheur que vous m'avez donné. Pourtant, souffrez que je vous conjure une fois encore d'éloigner de vous la triste compagnie de ceux qui ne voient dans vos bontés qu'une source généreuse dont les bienfaits alimentent, à votre insu, d'ignobles complots indignes de véritables gentilshommes. Vous avez ri de moi lorsque je vous ai mise en garde contre les agissements des "frères aux Masques de Sang", ainsi qu'ils se nomment eux-mêmes, vous m'avez répondu que jamais vous ne vous étiez mêlée à ces gens, qu'aucun d'entre eux n'aurait l'impudence de pénétrer dans votre maison ; sachez cependant que celui à qui vous avez accordé votre confiance, celui à qui vous ouvrez les secrets de votre cœur et de votre âme, celui-là même, je le sais désormais, se cache, sans jamais vous en avoir fait l'aveu, derrière le terrible masque... »

Vous arrivez au bas de la page, mais rien n'est écrit au verso ; la lettre se poursuit sans doute sur une autre feuille. Vous essayez de la retrouver parmi les papiers que vous avez en main, mais des bruits de pas, dans le couloir qui mène au salon, vous obligent à renoncer à vos investigations. La comtesse revient. Vous n'avez que le temps de remettre les papiers dans les tiroirs. Vous y parvenez de justesse et lorsque Mme de Sainte-Mouffle entre à nouveau dans la pièce, vous êtes en train d'examiner avec attention un tableau accroché non loin du secrétaire.

— Vous vous intéressez à la peinture, prince ? demande la comtesse d'un ton aimable.

Vous ferez part de vos goûts picturaux à Mme de Sainte-Mouffle en vous rendant au **10**.

114

Vous vous rendez aussitôt chez Mme de Sainte-Mouffle qui vous reçoit dans son boudoir. Vous n'avez pas oublié de reprendre votre accent de soi-disant prince russe que, sous le coup de l'émotion, vous aviez quelque peu oublié au cours de votre dialogue avec l'abbé Goulot du Pauillac. Ce dernier, cependant, ne semblait pas l'avoir remarqué.

— Eh bien, Igor, que me vaut aujourd'hui votre visite ? demande Mme de Sainte-Mouffle, et d'abord, vous êtes-vous bien amusé à mon bal ?

— Plus que je ne saurais le dire, répondez-vous avec ironie, j'ai surtout apprécié les réunions secrètes qui se tiennent dans votre grenier.

— Quoi ? Que voulez-vous dire ? s'étonne la comtesse.

— Vous le savez très bien : les frères aux Masques de Sang se réunissent chez vous et je me demande quel rôle vous jouez dans cette organisation.

— Mais vous déraisonnez, prince ! s'exclame Mme de Sainte-Mouffle en éclatant de rire. Qu'est-ce que cette histoire de réunion secrète et de Masque de

114 *Vous arrachez la perruque de Mme de Sainte-Mouffle qui, aussitôt, pousse un hurlement !*

Sang ? Je ne connais de masques que ceux qu'on porte dans les bals et ne m'importunez plus avec vos balivernes.

Un détail vous revient alors en mémoire : au début de votre aventure, Timothée Lestingois vous a signalé que les frères aux Masques de Sang ont les cheveux rasés sous leur perruque et qu'ils portent au sommet du crâne un minuscule tatouage représentant un masque rouge, symbole de leur secte. Pour savoir si Mme de Sainte-Mouffle a le crâne ainsi tatoué, il suffit de lui enlever sa perruque. Ce n'est certes pas un geste très courtois, mais vous voulez à tout prix en avoir le cœur net et brusquement, vous saisissez sa perruque que vous arrachez d'un coup sec. La comtesse pousse un hurlement et vous constatez que vous avez fait erreur. Sous sa perruque, en effet, Mme de Sainte-Mouffle a les cheveux courts mais nullement rasés et l'on ne distingue pas le moindre masque rouge au sommet de son crâne. Scandalisée, la comtesse se met à hurler de plus belle en appelant au secours et vous ressentez soudain une douleur fulgurante dans la nuque tandis qu'éclate un coup de feu. Quelqu'un — vous ne saurez jamais qui — vient de vous tuer d'un coup de pistolet. Vos déductions étaient fausses, Mme de Sainte-Mouffle ignorait tout de ce que le Masque de Sang tramait autour d'elle et dans sa propre maison. Vous ne connaîtrez donc jamais la vérité et votre mission s'achève ici sur un échec cuisant et définitif.

115

Emporté par son élan, l'homme à la cape rouge a atterri sur le toit d'une autre maison. Vous avez du mal à vous frayer un chemin parmi la foule qui se presse dans les rues entourant le Châtelet et lorsque vous arrivez à quelques mètres de la maison au sommet de laquelle a pris pied l'assassin, celui-ci a déjà disparu. Où est-il, à présent ? Sur un autre toit ? A-t-il réussi à regagner la rue et à se fondre dans la foule ? Vous contournez la maison à grand-peine, tant la chaussée est encombrée et vous apercevez alors sur le pavé un objet qui attire votre regard. Vous mettez pied à terre et vous le ramassez : il s'agit d'un masque, un masque rouge, on dirait... un masque de sang... C'est celui que portait l'assassin ; sans doute l'a-t-il perdu dans sa fuite, ou peut-être s'en est-il volontairement débarrassé ? C'est en tout cas le seul butin que vous pouvez rapporter de cette chasse à l'homme qui s'est révélée bien vaine : vous n'avez en effet pas la moindre idée de la direction qu'a pu prendre le fuyard. Vous estimez donc préférable de revenir sur les lieux du crime pour savoir ce qu'il est advenu du baron de la Gaillottière. Celui-ci est en bien piteux état, à la vérité. Son cœur bat encore, mais il a perdu connaissance et le sang continue de couler de sa plaie. On s'empresse autour de lui en attendant qu'il soit transporté chez un médecin.

Alors que vous vous approchez de l'attroupement qui s'est formé autour du corps, vous apercevez le gamin qui était accouru vers le baron tombé à terre. Vous descendez de votre cheval et vous lui faites signe de s'avancer.

— Dis-moi, petit, le baron était-il déjà évanoui lorsque tu t'es penché sur lui ? interrogez-vous.

— Qu'est-ce que ça peut vous faire ? réplique le garnement d'un ton insolent.

Son attitude est quelque peu choquante, mais après tout, les gamins de Paris n'ont pas une réputation d'extrême courtoisie.

— C'est très important, insistez-vous, a-t-il dit quelque chose ?

— Vous avez l'air d'avoir la bourse bien pleine, Monseigneur, lance le gamin avec ironie.

Compris : vous n'obtiendrez rien de lui sans y aller d'une pièce. Vous sortez donc de votre bourse un écu que vous faites tourner entre vos doigts. Le gamin ouvre des yeux émerveillés.

— Que voulez-vous savoir ? demande-t-il.

— L'homme a-t-il dit quelque chose avant de s'évanouir ?

— Il a réclamé un prêtre...

— C'est tout ?

— Et à boire...

— Ensuite ?

— Ensuite, plus rien...

— En es-tu sûr ?

Vous avez l'impression que le gamin ne dit pas la vérité ; apparemment, il cherche à vous cacher quelque chose.

— Essaye de te souvenir, insistez-vous, n'y a-t-il pas autre chose ?

Le garnement tend la main ; le message est clair : vous déposez l'écu dans sa paume.

— Vous ne me gronderez pas ? s'inquiète le gamin.

— Pourquoi te gronderais-je ?

Il sort alors de sa poche un médaillon et vous le montre. Vous essayez de le prendre, mais le garçon retire sa main.

— Il me faut au moins un autre écu pour ça ! dit-il d'un air bravache.

Vous sortez un deuxième écu de votre poche : ce gamin va finir par vous coûter cher !

— Ce n'est pas moi qui l'ai volé, il est tombé de sa poche, reprend le garçon, je l'ai vu glisser de sa redingote quand je me suis penché sur lui.

— Donne.

Vous faites l'échange, le médaillon contre l'écu.

C'est un petit médaillon d'émail qui représente un portrait de femme. Elle a le visage fin, le nez pointu et porte une perruque ornée de longues boucles en rouleaux et d'un petit bonnet à plumes. Au dos du médaillon, en lettres minuscules, figure cette indication : Mouillard — Graveur.

Vous glissez le médaillon dans votre poche et vous vous apprêtez à poser une autre question au gamin, mais celui-ci a disparu tandis que vous vous absorbiez dans la contemplation du portrait. Pour l'heure, Robert de la Gaillottière a été allongé sur une civière et deux soldats du guet le hissent dans une voiture tirée par deux chevaux. Vous vous approchez des deux hommes.

— Où va-t-on l'emmener ? leur demandez-vous.

— Etes-vous parent ou ami de la victime, monsieur ? s'enquiert alors un homme vêtu d'une robe de magistrat.

— Non pas, répondez-vous.

— Avez-vous quelque intérêt en cette affaire ? insiste l'homme.

Il vous est difficile de répondre précisément à cette question et vous montrez quelque hésitation.

— Heu... Oui, j'étais là quand... déclarez-vous d'un ton mal assuré.

— Quand le crime a été commis ?

— En effet...

— Fort bien, vous pourrez donc témoigner. Du Réner, se présente l'homme, commissaire au Châtelet, à qui ai-je l'honneur ?

Si vous êtes le Prince du Temps, rendez-vous au **137**.
Si vous êtes la Princesse du Temps, rendez-vous au **45**.

116

Vous mettez pied à terre et vous courez vers le baron. Le jeune garçon est accroupi à côté de lui ; vous vous agenouillez à votre tour auprès de la victime : Robert de la Gaillottière n'a pas perdu connaissance malgré la gravité de sa blessure, et il vous semble qu'il s'efforce de dire quelque chose. Vous penchez la tête pour essayer de saisir ses paroles. Vous entendez le mot « prêtre ». L'homme veut sans doute recevoir les derniers sacrements. Il porte ensuite la main à sa bouche, le poing fermé, le pouce tendu vers ses lèvres, comme s'il réclamait à boire. Ses forces l'abandonnent alors et il s'évanouit. Vous posez une main sur sa poitrine : son cœur bat encore faiblement. Au même instant, vous remarquez que le jeune garçon a subrepticement ramassé quelque chose.

— Qu'est-ce que c'est que ça ? lui demandez-vous.

— Ça ? Quoi, ça ? répond le gamin, visiblement embarrassé.

— Ce que tu viens de prendre.

Le garnement se relève alors d'un bond, prêt à s'enfuir. Vous êtes plus rapide, cependant, et vous le rattrapez par le bras.

— C'est tombé de sa poche, dit-il en guise de défense, je ne l'ai pas volé, je l'ai ramassé par terre.

Il ouvre la main et vous montre un médaillon que vous lui reprenez aussitôt. C'est un petit médaillon d'émail qui représente un portrait de femme. Elle a le visage fin, le nez pointu et porte une perruque ornée de longues boucles en rouleaux et d'un petit bonnet à plumes. Au dos du médaillon, en lettres minuscules, figure cette indication : Mouillard — Graveur.

Vous glissez l'objet dans votre poche et vous reportez votre attention sur le baron de la Gaillottière qui semble bien mal en point. Entre-temps, le gamin a pris la fuite et des passants sont allés chercher du secours. Vous vous penchez à nouveau sur la victime dans l'espoir bien vain qu'elle va reprendre connaissance, mais la gravité de la blessure est telle qu'il serait bien étonnant de voir Robert de la Gaillottière survivre longtemps. Bientôt, une voiture tirée par deux chevaux s'arrête et deux soldats du guet allongent le malheureux baron sur une civière avant qu'on ne l'emmène vous ne savez où. Voyant que vous vous intéressez particulièrement au blessé, un homme vêtu d'une robe de magistrat s'adresse à vous :

— Etes-vous parent ou ami de la victime, monsieur ? s'enquiert-il.

— Non pas, répondez-vous.

— Avez-vous quelque intérêt en cette affaire ? insiste l'homme.

Il vous est difficile de répondre précisément à cette question et vous montrez quelque hésitation.

— Heu... Oui, j'étais là quand... déclarez-vous d'un ton mal assuré.

— Quand le crime a été commis ?

— En effet...

— Fort bien, vous pourrez donc témoigner. Du Réner, se présente l'homme, commissaire au Châtelet, à qui ai-je l'honneur ?

Si vous êtes le Prince du Temps, rendez-vous au **137**.

Si vous êtes la Princesse du Temps, rendez-vous au **45**.

117

Bastien Frontouillard, le domestique que vous avez interrogé chez M. de Joubeuf se tient près du premier aérostat. Il a visiblement l'air surpris de vous voir arriver avec tant de hâte, M. de Joubeuf et vous.

— Que... Que se passe-t-il ? demande-t-il à son maître.

— N'as-tu rien remarqué d'anormal ? interroge M. de Joubeuf.

— Heu... Non, pourquoi ?

— As-tu vérifié ce qu'il y avait dans la nacelle ?

— Non, je n'ai pas regardé.

Vous vous hâtez, quant à vous, d'aller voir ce que cette fameuse nacelle contient et vous y découvrez, comme prévu, une énorme bombe : la machine infernale qui devait être jetée sur le peuple de Paris descendu dans la rue pour protester contre le renvoi de Necker. Vous montrez alors l'engin à M. de Joubeuf.

— Mon Dieu ! C'est horrible ! s'exclame celui-ci. Je vais immédiatement m'occuper de la faire désamorcer ! Quel malheur ! Mon vol, mon beau vol dans le ciel de Paris, je ne puis plus le faire, à présent. Ah, Monseigneur ! Comme le sort est cruel, parfois !

Bastien Frontouillard paraît tout aussi consterné que son maître et vous préférez les laisser tous deux à leurs lamentations. Vous devez, quant à vous, poursuivre votre mission, maintenant que vous avez évité la catastrophe qui se préparait. Qui était censé monter à bord de l'aérostat et jeter l'engin sur la foule ? Vous n'en savez rien, mais une chose est sûre : cette personne ne se montrera plus, à présent. Vous décidez maintenant d'aller raconter tout ce qui s'est passé depuis la nuit dernière à M. de Courtemare. Il faut d'urgence le mettre en garde contre les projets d'assassinat dont vous avez eu connaissance. Vous remontez donc sur votre cheval et vous vous rendez au **255**.

118

— Et que lui voulez-vous, jeune homme ? demande la femme avec une certaine méfiance.

— Etes-vous madame Lestingois ? interrogez-vous.

— En personne...

— Peut-être pourrez-vous me renseigner ? Je cherche un... un membre de ma famille que vous avez sans doute connu...

— Quel est son nom ?

— Hensock. Hensock le Follet, très exactement.

La femme paraît soudain bien sombre.

— Ah, malheur... gémit-elle, le pauvre monsieur Hensock, un homme si bon, et si jovial...

— Qu'y a-t-il, Blandine ? dit alors une voix qui semble provenir de la cave.

Un instant plus tard, une tête apparaît à travers une ouverture découpée dans le sol. C'est celle d'un homme jeune au visage avenant, au regard bleu et franc. L'homme gravit les derniers échelons de l'échelle qui monte du sous-sol et s'avance vers vous.

— Qu'y a-t-il pour votre service, monsieur ? s'enquiert-il.

— Ce jeune homme cherche... ce pauvre monsieur Hensock, répond la femme.

— Etes-vous un de ses amis ? demande l'homme d'un air soupçonneux.

— Je suis de sa famille, déclarez-vous.

— Dans ce cas... Mais il vaut mieux ne pas parler ici, dit l'homme. Blandine, ferme la boutique, nous descendons à la cave. Venez, ajoute-t-il en se tournant vers vous.

Il vous fait signe de le suivre et vous descendez derrière lui l'échelle qui mène à la cave, c'est-à-dire au **145**.

119

Vous trouvez sans difficulté une excellente auberge où l'on vous sert un délicieux repas pour la modeste somme de 40 sols. Après avoir bien mangé, vous revenez à l'auberge du Pont-Marie et vous vous installez dans votre chambre. Rendez-vous au **37**.

120

Le chien estime que vous êtes un adversaire un peu trop coriace pour lui et il se réfugie dans un coin du fiacre en poussant de petits jappements plaintifs.

— Attaque, Maurice ! Allez, attaque ! lui lance son maître.

Mais ces exhortations restent sans effet, le chien ne bouge pas. Le cocher est trop lâche pour vous attaquer lui-même et il préfère donc abandonner les lieux ; mais au moment de repartir, il vous lance un coup de fouet, sachant que, de toute façon, vous ne pourrez rattraper sa voiture. C'est là un geste d'une très grande vilenie, mais qui n'est pas rare chez des personnages de cette espèce. Pour savoir si la lanière du fouet va vous blesser, jetez un dé. Si vous obtenez 1 ou 6, vous aurez reçu une blessure qui vous infligera une perte de 1 point de FORCE. Si le dé vous donne tout autre chiffre, le cocher aura raté son coup et vous ne subirez aucune pénalité.

Avec un sentiment de fureur bien légitime, vous regardez le fiacre s'éloigner : triste engeance que ces sombres bougres ! Décidément, la faune de Paris est souvent bien méprisable. Mais inutile de ruminer plus longtemps votre rancœur, il est temps à présent de dénicher quelqu'un qui puisse vous indiquer où trouver le domestique que vous cherchez. Rendez-vous pour cela au **12**.

121

— Cinq louis ? s'étonne l'homme. Pour ce prix-là, le cheval est à toi. Mais je veux d'abord voir les pièces. Vous les lui donnez et il vous les arrache des mains avec une avidité de rapace fondant sur sa proie. A en juger par son sourire, vous lui avez payé sa monture un bon prix ; vous avez même fait preuve d'une prodigalité bien inutile, car vous n'avez plus d'argent, désormais, mais il est trop tard pour revenir en arrière.

— Tu ne regretteras pas ton achat, assure l'homme d'un ton goguenard, c'est une bonne bête qui te mènera loin. Mais au fait, où vas-tu ainsi ? Tu n'es pas de Paris, on dirait ?

Rendez-vous au **176** pour répondre à sa question.

122

Vous dégainez votre épée et vous arrivez devant le domestique criminel avant qu'il n'ait pu monter dans la nacelle. L'homme dégaine également une épée et se met en garde. Vous allez devoir livrer contre lui quatre Assauts.

BASTIEN
FRONTOUILLARD   MAÎTRISE : 18   FORCE : 20

Si vous survivez à ces quatre Assauts, rendez-vous au **231**.

123

— Le commissaire Du Réner m'a indiqué qu'un domestique avait été témoin du meurtre de monsieur de Ponsac. Je souhaiterais retrouver ce domestique pour lui poser quelques questions. Son témoignage pourrait peut-être me fournir quelques indices.

— Je connais cet homme, répond M. de Courtemare, il s'appelle Bastien Frontouillard. Thibaud de Ponsac l'avait engagé quelques semaines avant d'être tué. C'était un brave garçon que monsieur de Ponsac avait pris en affection. La mort de son maître l'a beaucoup affecté ; il s'est mis par la suite au service d'un certain Archibald de Joubeuf.

Pour en savoir plus sur ce dernier, il vous suffira de vous rendre au **139**.

124

Si, lors de cette visite chez Joubeuf, vous portiez la même tenue que ce soir, rendez-vous au **142**. Si vous portiez une autre tenue, rendez-vous au **5**.

Le domestique vous regarde de haut en bas d'un air quelque peu méprisant.

— Monsieur est occupé dans le parc et je crains qu'il ne puisse vous accorder une audience, dit-il.

« Vous accorder une audience ! » La formule correspond bien à la prétention qui caractérise cette demeure ! Ainsi donc, monsieur Joudebeuf, dit « de Joubeuf », ne reçoit pas de visites, il « accorde des audiences » ! Ah, le piètre boutiquier !

— J'insiste pour voir Monsieur, déclarez-vous avec votre plus bel accent russe.

Le domestique hésite. Vous prenez alors dans votre bourse un écu que vous lui donnez.

— C'est que... Monsieur m'a bien recommandé de ne le déranger que si...

Vous lui donnez un deuxième écu. Cette fois, son visage s'éclaire.

— Je... Je vais avertir Monsieur, dit-il en empochant la deuxième pièce.

En attendant son retour, il vous fait asseoir dans un petit salon et vous allez pouvoir mettre à profit ces quelques minutes de solitude pour jeter un coup d'œil autour de vous, si toutefois tel est votre désir. Tout comme le reste de la maison, cette pièce est encombrée de meubles et d'objets qui rivalisent de mauvais goût. Une commode à tiroirs installée dans un coin vous semble cependant intéressante. Il y a également une bibliothèque, près de la fenêtre, que vous aurez peut-être envie d'inspecter. Enfin, une autre porte que celle par laquelle le domestique vous a fait entrer est aménagée dans le mur en face de vous.

Si vous souhaitez ouvrir les tiroirs de la commode, rendez-vous au **214**. Si vous préférez vous intéresser à la bibliothèque, rendez-vous au **19**. Enfin, s'il vous

semble plus judicieux d'aller ouvrir la porte en face
de vous, rendez-vous au **32**. Bien entendu, vous pouvez également ne rien faire de tout cela et attendre
sagement le retour du domestique. Rendez-vous
dans ce cas au **130**.

126

Vous avez eu raison de vous débarrasser de ce vêtement mal commode. Vous conservez ainsi votre
liberté de mouvement, ce qui ne signifie pas pour
autant que vous soyez tirée d'affaire. Vous allez
devoir, en effet, lancer un dé. Si vous obtenez 1 ou 2,
vous vous foulez la cheville en sautant sur le rebord
et vous perdez 3 points de FORCE. Si vous obtenez
3 ou 4, vous vous luxez le poignet au cours de vos
acrobaties et vous perdez 4 points de FORCE. Vous
parvenez cependant à sauter sur le rebord sans autre
dommage. Si vous obtenez 5, vous lâchez prise et
vous vous écrasez sur les pavés de la cour, en contrebas. Dans ce cas, votre mission s'achève ici. Enfin, si
vous obtenez 6, vous vous élancez sans difficulté sur
le rebord de la fenêtre et vous suivez votre frère à
l'intérieur. Vous dévalez alors tous deux un escalier
de service et vous ne tardez pas à vous retrouver
dans la cour où vous attendent vos chevaux. Vous
montez aussitôt en selle et vous vous éloignez au
plus vite de la maison de Mme de Sainte-Mouffle.
— Eh bien, nous avons eu chaud, fait remarquer le
Prince du Temps.
— Pourrais-tu m'expliquer maintenant comment il
se fait que tu appartiennes à la confrérie du Masque
de Sang ? lui demandez-vous.
Rendez-vous au **65** pour entendre sa réponse.

— Désolé, dit l'homme, vous avez perdu, mais attendez donc le prochain combat, vous gagnerez peut-être, cette fois ?

Vous n'avez cependant pas l'intention de passer la journée à parier sur des combats qui sont au demeurant cruels et bien inutiles. Vous préférez donc dire adieu à votre pièce et quitter les lieux. Vous remontez sur votre cheval blanc, puis vous poursuivez votre chemin. Rendez-vous au **141**.

L'heure est à présent venue de vous reposer car vous aurez encore beaucoup à faire demain et vous aurez besoin de toutes vos forces. Si vous avez perdu des points de FORCE au cours de cette journée, vous allez devoir prendre un repas. Vous pouvez le commander à l'auberge même et on vous le servira alors dans votre chambre, mais si vous préférez souper dehors, vous n'aurez que l'embarras du choix : les auberges abondent à Paris. Si vous souhaitez souper dans votre chambre, rendez-vous au **112**. Si vous préférez souper dehors, rendez-vous au **119**.

— Non, décidément, je préfère m'arranger autrement, répondez-vous.

— Faites comme vous voudrez, après tout, ce ne sont pas les clients qui manquent ! lance le cocher en fouettant son cheval.

Vous venez d'avoir une autre idée : d'après ce que vous a dit Timothée, Robert de la Gaillottière était très ami avec Thibaud de Ponsac et il y a de bonnes chances pour que vous trouviez chez le baron quelqu'un qui pourra vous mettre sur la piste du domestique que vous cherchez. D'ailleurs, il est temps d'al-

ler prendre des nouvelles de monsieur de la Gaillottière, en espérant qu'il est toujours vivant. Pour
retourner chez le baron, rendez-vous au **155**.

130

Si vous êtes le Prince du Temps, rendez-vous au **220**.
Si vous êtes la Princesse du Temps, rendez-vous au
210.

131

Par chance, Mouillard est un graveur célèbre et un
passant vous indique bientôt son adresse. Le sieur
Mouillard tient boutique au fond de la cour d'une
maison de la rue Vivienne. L'endroit n'est pas trop
difficile à trouver et vous y arrivez en une vingtaine
de minutes. Le graveur est dans son atelier ; c'est un
petit homme à l'air craintif, au dos voûté, marchant
à pas menus entre ses établis encombrés de plaques
de métal et d'outils les plus divers. Vous lui montrez
le médaillon tombé de la poche de Robert de la Gaillottière.
— J'ai trouvé ceci dans la rue, pouvez-vous me dire
à qui appartient ce bijou ? Je serais heureux de le
remettre moi-même à la personne qui l'a perdu.
Le petit homme examine l'objet et le reconnaît aussitôt.
— C'est là le portrait de la comtesse de Sainte-
Mouffle, dit-il, j'ai exécuté ce médaillon à sa
demande il y a deux mois tout au plus.
— Où habite la comtesse ?
— Dans le faubourg Saint-Germain, rue de
Varenne ; c'est l'hôtel qui fait l'angle avec la rue du
Bac, face au couvent des Récollettes. Mais...
— Mais quoi ?
— Je... J'ignore à qui madame la comtesse a offert
ce bijou... Il serait bien embarrassant de...

— De quoi ?

— Si... Si l'on pensait que j'ai commis une indiscrétion en...

— En me donnant son adresse ? N'ayez crainte, elle ne le saura pas.

L'homme paraît soulagé.

— C'est que, voyez-vous, dans mon métier... La discrétion...

— Je comprends, je comprends...

— Il ne faudrait pas citer mon nom, car...

— Je ne parlerai pas de vous, vous pouvez m'en croire.

Ce graveur vous agace avec ses airs apeurés et vous vous hâtez de quitter les lieux pour vous rendre rue de Varenne. Cette fois, le trajet est plus long, il vous faut retraverser la Seine et vous frayer un chemin dans la circulation incessante de la capitale en prenant garde à ne pas entrer en collision avec un autre cheval ou un quelconque véhicule. Lorsque vous arrivez enfin à l'angle de la rue du Bac et de la rue de Varenne, vous vous arrêtez un instant et vous considérez l'hôtel de la comtesse de Sainte-Mouffle. C'est une noble et haute maison à la façade élégante et au portail de chêne sculpté. A n'en pas douter, on vit dans l'opulence derrière ces murs de pierres taillées. Vous allez avoir affaire à une représentante de la haute aristocratie parisienne, ce qui ne vous impressionne guère, étant vous-même de sang royal, mais peut-être serait-il bon d'adopter un autre nom que « Lefollet » pour rendre visite à cette dame. Un nom qui vous pose d'emblée comme aristocrate à part entière. Mieux vaut d'ailleurs ne pas choisir un nom français car tous les nobles de ce pays se connaissent et l'on aurait tôt fait de découvrir l'imposture. Dans la réalité vous avez rang princier, aussi, pourquoi ne pas vous présenter comme prince ? Au Royaume du Temps, on vous a enseigné que les princes étaient légion en certaines contrées, en Russie, par exemple. Le rôle de prince russe vous conviendrait à merveille et il ne vous sera pas difficile de le jouer auprès de la comtesse de Sainte-Mouffle. Un instant de réflexion vous suffit pour vous inventer un nouveau nom : vous appartenez au peuple des Pérenniens, vous vous appellerez donc Perenniov. Quant au prénom, ce sera tout bonnement Igor Ivanovitch, prénom banal, sans doute, pour un Russe, mais qui fera parfaitement l'affaire en l'occurrence. Sous votre nouvelle identité de prince Igor Ivanovitch Perenniov, vous vous avancez à présent dans la cour de l'hôtel de la comtesse et vous mettez pied à terre. Un valet vient aussitôt à votre rencontre en vous contemplant d'un air surpris. Son regard s'attarde notamment sur votre épée, comme si elle lui semblait incongrue en un tel lieu.

— Madame de Sainte-Mouffle reçoit-elle aujourd'hui ? demandez-vous d'une voix sonore en vous efforçant de rouler les « r » à la russe.

— Qui dois-je annoncer, Monsieur ? s'enquiert le valet.

— Prince Igor Ivanovitch Perenniov, lancez-vous d'un ton péremptoire, je suis un ami de... du baron de la Gaillottière.

— Bien, Monsieur.

L'homme vous introduit dans une antichambre et vous demande de patienter un instant. Vous voici donc dans une petite pièce meublée de quelques fauteuils et dont les murs sont tendus de draperies mauves. Le domestique a disparu par une double porte ; une autre porte, aménagée dans le mur de droite, attire votre attention. Si vous souhaitez ouvrir cette porte, rendez-vous au **39**. Si vous préférez attendre qu'on vienne vous chercher, rendez-vous au **151**.

Vous vous précipitez vers l'homme perché sur son escabeau. Brandissant votre épée, vous tentez désespérément de lui porter un coup avant qu'il n'ait eu le temps de faire pression sur son levier. Hélas ! Vous arrivez trop tard ! L'homme a réussi à faire tomber les tonneaux qui roulent les uns sur les autres en travers de la chaussée. Le cocher du carrosse n'a pas le temps d'arrêter ses chevaux qui se cabrent, mais ne parviennent pas à éviter les tonneaux. Le choc est violent, les chevaux éventrent les barriques de leur sabots, du vin jaillit et se répand sur le pavé, le carrosse dérape, une roue se brise et le véhicule s'affaisse, définitivement immobilisé. L'homme au levier s'est enfui tandis que des badauds alertés par le vacarme se rassemblent autour du carrosse accidenté. Le cocher a été projeté à terre où il gît, assommé. M. de Joubeuf a également été malmené. Une grosse bosse orne son front et il a perdu connaissance. On peu dire que les frères aux Masques de Sang ont réussi leur coup ! Quant à vous, il ne vous reste plus qu'à filer au Champ-de-Mars en espérant qu'il sera encore temps d'éviter la catastrophe. Rendez-vous au **207**.

Maudissant votre maladresse, vous dégainez votre épée et vous vous précipitez vers l'homme perché sur son escabeau. Vous tentez désespérément de lui porter un coup avant qu'il n'ait eu le temps de faire pression sur son levier, mais hélas, il est trop tard ! L'homme a réussi à faire tomber les tonneaux qui roulent les uns sur les autres en travers de la chaussée. Le cocher du carrosse n'a pas le temps d'arrêter ses chevaux qui se cabrent, mais ne parviennent pas à éviter les tonneaux. Le choc est violent, les chevaux éventrent les barriques de leurs sabots, du vin jaillit et se répand sur le pavé, le carrosse dérape, une roue se brise et le véhicule s'affaisse, définitivement immobilisé. L'homme au levier s'est enfui tandis que des badauds alertés par le vacarme se rassemblent autour du carrosse accidenté. Le cocher a été projeté à terre où il gît, assommé. M. de Joubeuf a également été malmené. Une grosse bosse orne son front et il a perdu connaissance. On peut dire que les frères aux Masques de Sang ont réussi leur coup ! Quant à vous, il ne vous reste plus qu'à filer au Champ-de-Mars en espérant qu'il sera encore temps d'éviter la catastrophe. Rendez-vous au **207**.

133 *L'homme a réussi à faire tomber les tonneaux qui roulent les uns sur les autres en travers de la chaussée.*

L'homme est enfariné des pieds à la tête, on dirait un fantôme ; il est bien vivant, cependant, et il brandit dans sa main droite un long couteau pointu qui n'a rien d'immatériel.

— Parole, mais c'est une fille qui essaye de me voler mon cheval ! Et dans quel accoutrement ! File d'ici, gueuse !

L'homme se tient à présent devant vous et vous menace de son couteau. Qu'allez-vous faire :

Lui proposer d'acheter son
cheval ?   Rendez-vous au **168**

Essayer de voler le cheval ?   Rendez-vous au **84**

Vous savez que l'homme à la cape et au masque rouges se cache dans cette maison, mais vous ignorez son identité. Peut-être en apprendrez-vous davantage en assistant demain au vol de l'aérostat ? En tout cas, vous n'avez plus rien à faire ici pour l'instant et vous prenez congé de M. de Joubeuf pour retourner à Paris où, ne l'oubliez pas, vous avez rendez-vous à 4 heures avec le commissaire Du Réner devant l'auberge du Pont-Marie. Mais avant toute chose, vous allez devoir remettre vos vêtements d'homme et, une fois rentrée place Dauphine, renvoyer votre voiture de louage dont vous n'aurez plus besoin cet après-midi. Après vous être changée, vous pourrez, si vous le désirez, prendre un repas dans une auberge. Il vous en coûtera 40 sols et vous regagnerez 2 points de FORCE. Si vous souhaitez, en sortant de table, rendre visite à M. de Courtemare, rendez-vous au **192**. Si vous préférez aller directement à l'auberge du Pont-Marie pour y retrouver le commissaire, rendez-vous au **241**.

Tous vos adversaires ont été défaits. Sur leurs cadavres, vous trouvez 10 louis d'or que vous vous partagez. Si vous avez besoin d'une redingote, vous pouvez prendre celle d'un de vos ennemis. Vous en trouvez justement une qui vous sied à merveille. Bientôt, le bateau du Masque de Sang chavire puis coule au fond de la Seine, emportant dans les tréfonds du fleuve sa sinistre cargaison.
Si vous êtes le Prince du Temps, rendez-vous au **160**.
Si vous êtes la Princesse du Temps, rendez-vous au **271**.

— Je m'appelle Aubépin Lefollet, répondez-vous au commissaire.
— Lefollet ? s'étonne celui-ci, voilà qui est étrange, seriez-vous parent d'un dénommé Hensock Lefollet, coupable d'assassinat et de complot ?
— Je suis en effet son parent, mais il n'est pas coupable ! déclarez-vous avec force.
— Le baron de la Gaillottière pensait comme vous, c'est ce qu'il m'a soutenu au cours de l'entretien que nous avons eu il n'y a pas dix minutes. Il venait de prendre congé lorsqu'il a été attaqué : j'ai vu commettre le forfait de ma fenêtre. Mais j'ai seulement aperçu la cape rouge de l'assassin. Je n'ai pas pu distinguer les traits de son visage. Et vous ?
Rendez-vous au **153** pour répondre à la question du commissaire.

Si vous êtes le Prince du Temps, rendez-vous au **66**.
Si vous êtes la Princesse du Temps, rendez-vous au **107**.

— Pourriez-vous me parler d'Archibald de Joubeuf ? demandez-vous à votre interlocuteur.

Celui-ci éclate alors de rire.

— Pardonnez-moi, dit-il, il m'est toujours difficile d'entendre prononcer ce nom sans en être amusé. Archibald de Joubeuf s'appelle en réalité Archibald Joudebeuf. C'est un négociant qui a amassé une immense fortune dans le commerce des épices et des objets d'art ; sans doute est-il l'un des hommes les plus riches du royaume, mais il ne se console pas de n'être point noble. Aussi a-t-il décidé de se faire passer pour un aristocrate en changeant quelque peu son nom. Monsieur Joudebeuf, pardon, « de Joubeuf », n'a, en dehors de l'argent et des honneurs, qu'une seule passion : ces ballons que l'on nomme aérostats, je crois, et grâce auxquels on peut, à ses risques et périls, s'envoler dans les airs jusqu'à une hauteur fort considérable. Il est à craindre, cependant, que ce brave négociant tombe un jour de très haut pour avoir voulu s'élever avec trop de hâte !

— Lui aussi pourrait peut-être financer le Masque de Sang ?

— Monsieur Joudebeuf serait prêt sans nul doute à financer quiconque l'introduirait dans les cercles de l'aristocratie ; si vous voulez être bien reçu par lui, faites le gentilhomme, et il sera à vos ordres !

— Où puis-je trouver ce monsieur Joudebeuf ? demandez-vous.

— Il habite le village d'Auteuil, rue des Perchamps, exactement. Son nom est inscrit sur le portail. L'habitude du négoce ne se perd jamais ! ajoute M. de Courtemare d'un ton plein de mépris.

Vous n'avez pas d'autre question à poser et il ne vous reste plus qu'à prendre congé.

— Je pars avec vous, dit Eloi de Courtemare, j'ai

une visite à rendre avant de revenir au chevet de monsieur de la Gaillottière.

Vous vous dirigez donc de concert vers la porte. Alors que vous vous apprêtez à sortir, vous voyez avec stupéfaction M. de Courtemare chausser des sabots de paysan.

— Je comprends votre étonnement, dit-il en éclatant de rire, figurez-vous que j'aime par-dessus tout marcher dans Paris, mais les rues y sont si boueuses que j'ai décidé de porter des sabots, en bon gentilhomme campagnard que je suis. On a beau vivre en ville, on n'en reste pas moins proche de ses origines !

Au moment de vous quitter, Eloi de Courtemare vous donne son adresse, rue de Grenelle, au cas où vous auriez besoin de le revoir. De toute évidence, il s'intéresse à votre enquête et se déclare prêt à vous apporter son aide dans toute la mesure de ses moyens. Après l'avoir salué, vous le regardez s'éloigner dans la rue de l'Université, marchant d'un pas assuré dans ses sabots qui contrastent singulièrement avec l'élégance de ses vêtements. A présent, que souhaitez-vous faire que vous n'ayez déjà fait ?

Vous rendre chez Clotilde de Sainte-Mouffle ?	Rendez-vous au **29**
Aller à l'auberge du Pont-Marie pour y louer la chambre 4 ?	Rendez-vous au **143**
Aller faire quelques achats que vous estimez indispensables ?	Rendez-vous au **24**
Suivre M. de Courtemare pour essayer de savoir à qui il va rendre visite ?	Rendez-vous au **185**

— A la bonne heure ! s'exclame le cocher, laissez donc votre cheval et montez derrière.

Vous attachez votre monture et vous ouvrez la portière du fiacre. Mais à peine avez-vous posé un pied à l'intérieur qu'un grognement retentit. Un énorme chien est couché sur l'une des banquettes et vous accueille en découvrant des dents impressionnantes.

— Silence, Maurice ! lance le cocher en se retournant vers l'animal.

Celui-ci consent à se taire mais continue de vous regarder d'un air mauvais. Le temps, en ce jour d'été, étant fort clément, le cocher a baissé la capote de son fiacre et peut ainsi deviser avec vous depuis son siège.

— J'espère que vous ne prisez pas, dit-il, il est interdit de priser dans ma voiture, je n'ai pas envie de retrouver des grains de tabac sur mes coussins. Tu vas dégager, espèce de gros tas !

Vous sursautez, mais vous comprenez aussitôt que l'homme ne s'adressait pas à vous. Cette amabilité était destinée à un autre cocher dont la voiture avait coupé brusquement la route de votre fiacre.

— Ah là, là ! s'écrie le cocher, tous ces maroufles qui circulent à Paris ! Si j'étais le roi, j'interdirais tous les carrosses et les berlines qui encombrent les rues, il n'y aurait plus que des fiacres, comme ça, au moins, on pourrait travailler ! Et vous, vous venez d'où ?

— De province, répondez-vous.

— Ah, ça, je m'en doute ! Vous n'êtes pas étranger, au moins ? Les étrangers, à Paris, il y en a beaucoup trop ! Si j'étais le roi, je mettrais tout ça dehors, moi ! Tenez, votre Ponsac, là, eh bien, c'est un étranger qui l'a assassiné ! Un certain Henroc Lemollet, ou je ne sais trop quoi, encore un qu'on n'aurait pas dû laisser entrer dans Paris ! Remarquez qu'il l'a cherché, le Ponsac ! A ce qu'on m'a dit, il voulait tout changer dans le pays, donner des libertés aux gens et je ne sais quoi encore !

— Qui vous a dit cela ? demandez-vous.

— Un client. D'après lui, c'est une bonne chose que Ponsac soit mort. Il y a suffisamment de troubles comme ça, à Paris. De nos jours, à chaque fois que les gens ne sont pas contents, ils font des émeutes et on ne peut plus circuler !

— Et qui était ce client ?

— Un drôle de bonhomme habillé d'une cape rouge.

— Une cape rouge ? vous exclamez-vous.

— Pourquoi ? Vous le connaissez ?

— Et où l'avez-vous conduit ?

— Je ne me souviens plus bien, c'était une petite rue, dans le village d'Auteuil, je crois.

— Quand était-ce ?

— Une semaine jour pour jour après l'assassinat de Ponsac, justement. Ça, je m'en souviens, c'était l'anniversaire de mon beau-frère. Mais d'abord, pourquoi toutes ces questions ? Vous me paraissez bien curieux.

— J'ai connu quelqu'un qui s'habillait d'une cape rouge, répondez-vous, mais dites-moi, j'ai l'impression qu'on est déjà passé par cette rue, tout à l'heure. Vous reconnaissez en effet une façade que vous aviez remarquée quelques minutes auparavant.

— Ho, dites, si vous connaissez Paris mieux que moi, vous n'avez qu'à prendre les rênes ! lance le cocher d'un ton furieux.

Aussitôt, le chien recommence à grogner en vous regardant d'un air menaçant et vous préférez ne pas insister. Quelques minutes plus tard, le fiacre s'arrête devant une maison à la porte et aux fenêtres closes.

— Voilà, on est arrivés, dit le cocher en arrêtant son fiacre.

— Où sommes-nous ? demandez-vous.

— Rue de Bourgogne.

— Rue de Bourgogne ? Mais...

— Mais quoi ?

— Mais c'est tout près de l'endroit où j'ai laissé mon cheval ! Et ça fait un quart d'heure qu'on roule ! vous indignez-vous.

— Hé ! c'est qu'il faut savoir par où passer, proteste le cocher, vous croyez que c'est facile de circuler dans Paris ? Et puis, si vous n'êtes pas content, payez-moi mon louis d'or et arrangez-vous tout seul !

Si vous acceptez de payer le louis d'or, rendez-vous au **57**. Dans le cas contraire, rendez-vous au **79**.

141

En fait, il suffit d'aller tout droit pour atteindre la rue des Vinaigriers. Le trajet ne va pas sans mal, cependant. Ce qui vous frappe tout d'abord dans cette ville de Paris que vous aviez tant envie de connaître, c'est l'extrême puanteur qui y règne. Les déchets s'accumulent dans les rues, les eaux sales imprègnent le sol et il n'est pas rare de voir les habitants des maisons se débarrasser de telle ou telle immondice en la jetant par une fenêtre sans se soucier de qui passe au-dessous. En outre, il est difficile de circuler dans ces rues encombrées de carrosses, cabriolets, berlines et autres phaétons ; les cochers ne s'embarrassent guère de précautions et roulent volontiers à tombeau ouvert en tenant pour négligeables les obstacles, notamment les piétons, qui peuvent se trouver sur leur chemin. Toute cette bruyante agitation vous donne le tournis et vous vous sentez d'autant plus mal à l'aise que les passants vous lancent des regards surpris en se moquant parfois ouvertement de vous. Lorsque vous arrivez dans la rue des Vinaigriers que vous avez réussi à découvrir du premier coup grâce aux indications que de braves gens vous ont données, vous éprouvez un grand soulagement à mettre enfin pied à terre après ce court mais rude voyage. Au numéro 15 de la rue est accrochée une enseigne représentant une bouteille de fer forgé. C'est là que se trouve la boutique de Timothée Lestingois, l'homme qui peut vous donner les renseignements dont vous avez besoin pour retrouver Hensock le Follet. Vous entrez dans une boutique exiguë où sont disposés sur des étagères des bouteilles et des flacons. Derrière un comptoir se tient une jeune femme qui vous considère d'un œil étonné.

— Bonjour, je cherche Timothée Lestingois, lui dites-vous avec un sourire engageant.

Si vous êtes le Prince du Temps, rendez-vous au **118**.
Si vous êtes la Princesse du Temps, rendez-vous au **162**.

142

Vous avez commis une erreur en vous habillant de la même façon. Car si votre visage est masqué, en revanche, on a fini par reconnaître votre tenue et l'un des hommes réunis autour de la table pointe alors le doigt vers vous :

— Pardonnez-moi de vous interrompre, Maître, dit-il, mais il y a un espion parmi nous.

Des exclamations diverses accueillent cette révélation et l'on se précipite sur vous pour vous immobiliser. Rendez-vous au **90** pour savoir ce qui va vous arriver.

143

L'auberge du Pont-Marie est située rue du Figuier. C'est une maison étroite de deux étages, à la façade propre et coquette. L'endroit vous semblerait d'ailleurs fort agréable si le mauvais sort de Hensock le Follet ne s'était noué entre ces murs. Après avoir contemplé la maison quelques instants, vous mettez pied à terre et vous entrez à l'intérieur. L'aubergiste est un homme jeune aux épaules robustes ; il vous accueille avec un large sourire en vous demandant ce qu'il peut faire pour vous.

— Je voudrais louer la chambre 4, lui répondez-vous.

L'homme vous dévisage sans se départir de son sourire.

— Vous voulez sans doute être au calme ? dit-il, ah, le calme ! Voilà une chose bien précieuse dans cette ville si bruyante ! Eh bien, vous avez de la chance, la chambre 4 est justement libre, vous pourrez y demeurer aussi longtemps qu'il vous plaira. Mais je vais d'abord vous la montrer.

Vous suivez l'homme le long d'un couloir qui mène à la fameuse chambre. Elle se trouve à l'écart, dans une aile de la maison, et donne sur un jardin intérieur abondamment fleuri. L'ameublement est simple mais suffisamment confortable pour qu'on puisse faire là un séjour plaisant. Un large lit occupe le centre de la pièce, une haute et belle armoire lui fait face, deux fauteuils, une table, une commode et une petite bibliothèque complètent le mobilier. Le plancher est recouvert d'un tapis élégant et quelques tableaux représentant des paysages de campagne ornent agréablement les murs.

— Et voilà, dit l'aubergiste, ici, vous serez tout à fait tranquille, personne ne viendra vous importuner, vous n'entendrez aucun bruit et il ne vous en coûtera qu'un écu par jour.

— Très bien, je la prends, répondez-vous.

Vous donnez un écu d'avance à l'aubergiste qui vous remet la clé de la chambre. Vous allez avoir tout loisir d'examiner cette pièce en espérant y découvrir un indice, si infime soit-il, qui puisse vous aider à comprendre comment a été montée la machination dont Hensock le Follet a été la victime. Mais peut-être n'est-il pas encore temps de vous livrer à cet examen. Il vous faut, en effet, poursuivre votre enquête sans tarder en profitant du temps qui vous reste avant la tombée de la nuit. Qu'allez-vous faire maintenant que vous n'ayez déjà fait ?

Essayer de retrouver l'adresse du dénommé Mouillard, graveur ?	Rendez-vous au **131**
Retourner chez Robert de la Gaillottière en espérant qu'on vous renseignera sur son sort ?	Rendez-vous au **155**
Tenter de retrouver le domestique qui, selon le commissaire Du Réner, aurait été témoin du meurtre de Thibaud de Ponsac ?	Rendez-vous au **72**
Vous occuper d'aller faire quelques achats que vous estimez indispensables ?	Rendez-vous au **24**

suite →

Si vous avez déjà fait *tout* cela, la fin de la journée est arrivée et vous méritez alors de prendre quelque repos. Rendez-vous dans ce cas au **128**. Notez bien ce numéro car vous devrez vous y rendre dès que vous aurez accompli *toutes* ces tâches. Interdiction d'aller vous coucher avant d'en avoir terminé !

144

Si vous tirez :

La Licorne	Rendez-vous au **156**
Le Serpent	Rendez-vous au **163**
L'Etoile du Nord	Rendez-vous au **177**
Le Poignard	Rendez-vous au **62**
La Couronne	Rendez-vous au **68**
L'Ondine	Rendez-vous au **97**

145

La cave est relativement vaste, elle paraît en tout cas plus grande que la boutique. En son centre trône un établi sur lequel est posée une presse. Le long des murs sont alignés des tonneaux et une odeur aigre règne alentour. Dès que vous posez le pied sur le sol, vous remarquez la presse et vous vous en approchez pour l'examiner. Vous n'avez jamais rien vu de semblable : l'instrument semble si archaïque !

— C'est avec cela que j'imprime les étiquettes de mes bouteilles de vinaigre, dit précipitamment Timothée Lestingois, tandis que sa femme descend à son tour l'échelle après avoir fermé la boutique.

Timothée vous montre alors des étiquettes fraîchement imprimées, mais sa hâte vous semble suspecte. On dirait qu'il a quelque chose à cacher...

— Ainsi, reprend-il, vous êtes de la famille de ce malheureux Hensock ? J'ai pour lui une grande ami-

145 *« C'est avec cela que j'imprime les étiquettes de mes bouteilles de vinaigre », dit précipitamment Timothée Lestingois.*

tié et beaucoup d'estime. Hélas !... Je crains que l'on ne puisse rien faire pour le sauver...

— Le sauver ?... répétez-vous avec inquiétude.

— Nul ne sait où il se trouve, une seule chose est certaine, il a été arrêté.

— Par qui ?

— Par la police du roi, sous l'accusation d'assassinat et de complot contre la couronne. Mais pour tout vous dire, il ne fait à mes yeux aucun doute qu'il est innocent. Il n'est qu'une victime de plus de la tyrannie qu'exercent tous ces « hauts et puissants seigneurs » qui...

— Timothée ! Sois prudent ! l'interrompt sa femme. Nous ne savons pas si...

— Si nous pouvons vous faire confiance, achève Timothée en vous adressant un sourire. C'est vrai, peut-être n'êtes-vous ici que pour nous espionner ?

— Non, n'ayez crainte, répondez-vous, je veux simplement savoir ce qui est arrivé à mon parent Hensock.

— Et je vous crois volontiers, assure votre interlocuteur. Aussi, écoutez bien ce que je vais vous dire et vous comprendrez pourquoi ce pauvre Hensock a bien peu de chances d'échapper au sort qu'on lui réserve. Comme vous ne pouvez l'ignorer, le royaume de France, et Paris particulièrement, connaît une grande agitation ; le peuple gronde, il se soulève, il menace à tout instant de déferler dans les rues pour prendre par la force le pain auquel il a droit et qu'on lui refuse. Quelques aristocrates qui ont la faveur du roi ont compris le risque que court la monarchie devant cette montée de la fureur populaire. Ils essayent en conséquence d'amener le roi à accorder à ses sujets plus de liberté et de justice. Thibaud de Ponsac était de ceux-là. En avez-vous entendu parler ?

— Non, confessez-vous, je sais peu de chose sur ce qui se passe à la cour...

— Thibaud de Ponsac, poursuit Timothée, était le plus convaincu, parmi les proches du roi, de la nécessité d'entreprendre des réformes en faveur du peuple. Hélas ! Thibaud de Ponsac a été tué, et c'est Hensock le Follet que l'on accuse d'avoir commis ce crime.

— Mais pourquoi ?

— Pourquoi ? Parce que Hensock était lui-même ami de la liberté et qu'il luttait pour le droit des pauvres. Pour certains, il fallait que Thibaud de Ponsac disparaisse ; il fallait que Hensock disparaisse également ; aussi a-t-on fait d'une pierre deux coups en tuant Thibaud et en s'arrangeant pour que Hensock soit accusé du crime. Et comme Thibaud de Ponsac était un favori du roi, on en a conclu que son assassin complotait contre la monarchie. Voilà pourquoi votre parent a été arrêté et sera sans nul doute condamné à mort.

— Mais... Comment le crime a-t-il eu lieu ? demandez-vous. Il n'est pas si facile de faire ainsi accuser quelqu'un...

— On voit que vous ne savez pas de quoi sont capables les Frères du Masque de Sang ! s'exclame Timothée avec un rire amer.

— Le Masque de Sang ?

— C'est une confrérie secrète qui rassemble des partisans d'une monarchie absolue, féroce, implacable. De par le sang du Christ, ils ont fait serment de noyer toute révolte dans le sang du peuple, un peuple qu'ils veulent soumettre à une tyrannie impitoyable, inhumaine. Sous le double signe du sang du Christ et du sang qu'ils promettent aux révoltés, ils se sont constitués en une confrérie clandestine dont les adeptes sont masqués lors de leurs réunions. Personne ne sait qui appartient au Masque de Sang, on dit seulement que ses membres ont les cheveux rasés sous leur perruque et qu'ils portent au sommet du crâne un minuscule tatouage représentant un masque rouge, symbole de leur secte. Il est clair que le Masque de Sang a tué Thibaud de Ponsac, il est clair qu'il a tout fait pour que Hensock porte apparemment la responsabilité du crime. Thibaud a été tué d'un coup de dague ; or, on a retrouvé cette dague à la lame encore rougie dans la chambre que Hensock occupait à l'auberge du Pont-Marie, rue du Figuier. Bien entendu, Hensock n'a jamais possédé une telle arme, mais dans ce pays, l'apparence tient souvent lieu de preuve. De plus, la mort de Thibaud arrangeait trop de monde pour qu'on cherche à en savoir davantage. J'ignore si l'histoire retiendra le nom de Thibaud de Ponsac, mais en tout cas, il le mériterait ; c'était en effet un homme plein de bonté, de sagesse et de modestie, trois qualités qui ne font généralement pas bon ménage avec l'aristocratie. Sa mort n'a guère soulevé de passion, cependant, car rares étaient les gens du peuple qui le connaissaient. Pauvre Thibaud, et pauvre Hensock, lui qui avait mis tant de zèle à servir notre cause...

— Votre cause ?

— Timothée ! Ne parle pas trop ! intervient Mme Lestingois.

— Bah, en la circonstance, il n'y a pas grand risque à dire la vérité, réplique son époux, et la vérité, c'est que ma presse ne sert pas seulement à imprimer des étiquettes.

Il s'approche alors de l'instrument, desserre la grosse vis qui maintient la plaque à imprimer et sort une feuille de papier qu'il vous tend.

— Blandine, passe-moi une autre feuille, dit-il à son épouse.

La jeune femme s'exécute tandis que vous lisez à la lueur de la lanterne suspendue au plafond le texte imprimé sur la feuille de papier. Il s'agit de la première page d'un journal qui porte pour titre : *Le Courrier du Patriote*. Au-dessous, un long article écrit dans un style polémique dénonce les abus du pouvoir royal.

— C'est Hensock lui-même qui a écrit ces lignes peu de temps avant son arrestation, précise Timothée. Le malheureux n'aura sans doute jamais l'occasion de les voir imprimées.

— C'est vous qui dirigez ce journal ? demandez-vous à Lestingois.

— J'en suis en effet le directeur, l'imprimeur, le principal publiciste, et je m'efforce de faire en sorte que *Le Courrier du Patriote* ait la même acidité que le vinaigre dont je fais par ailleurs commerce...

— A qui pourrais-je m'adresser pour en apprendre plus sur toute cette affaire ? interrogez-vous. J'ai l'intention de mener ma propre enquête.

— Je ne connais qu'une seule personne qui pourrait vous en dire davantage. Il s'agit de Robert de la Gaillottière, un baron érudit qui était l'ami le plus proche de Thibaud de Ponsac. Il sait sans doute beaucoup de choses...

— Et où puis-je trouver ce Robert de la Gaillottière ?

— Au trente de la rue de l'Université, c'est là qu'il loge, consacrant ses journées à l'étude de gros livres ennuyeux auxquels il semble porter une grande affection. Vous le reconnaîtrez facilement : il a la cinquantaine, le teint pâle, porte toujours une redingote bleu ciel ainsi que des bottes montantes, et marche avec une canne. Le pauvre homme a été blessé à la guerre et en a conservé une légère claudication.

— Il ne me reste donc plus qu'à lui faire une visite, déclarez-vous alors.

— Oui, mais avant cela, il faut d'abord s'occuper de...

Timothée Lestingois s'interrompt, l'air quelque peu gêné.

— De quoi ? demandez-vous.

Pour le savoir, rendez-vous au **206** si vous êtes le Prince du Temps ou au **61** si vous êtes la Princesse du Temps.

146

Vous n'irez donc pas à ce rendez-vous. M. de Joubeuf, lui, viendra place Dauphine à 7 h 30 précises. 7 h 30, c'est l'heure à laquelle les hommes du Masque de Sang avaient prévu d'immobiliser son carrosse rue La Fontaine afin de l'empêcher de se rendre au Champ-de-Mars. Mais pour être exact au rendez-vous qu'il vous a fixé, M. de Joubeuf sera passé rue La Fontaine beaucoup plus tôt et il aura ainsi échappé au traquenard qu'on voulait lui tendre. Vous pouvez donc aller directement au Champ-de-Mars pour essayer de faire obstacle à l'attentat imaginé par les frères aux Masques de Sang. Rendez-vous au **228**.

147

— Oh, à mon âge, on n'a plus besoin d'argent, répond le vieillard, et d'ailleurs, je ne pourrais me résoudre à en gagner de cette façon : j'aurais l'impression de trahir la mémoire de mon maître. Non, pardonnez-moi, je ne puis accepter votre offre, je vous souhaite le bonjour, Monsieur.

L'homme referme alors la porte et vous avez beau frapper contre le panneau, il refuse de vous ouvrir à nouveau. Vous n'avez plus qu'à remettre votre écu dans votre bourse et à reprendre votre cheval qui se trouve non loin d'ici. Qu'allez-vous faire à présent que vous n'ayez déjà fait ?

Vous rendre chez un certain Mouillard, graveur ?	Rendez-vous au **131**
Aller louer la chambre 4 à l'auberge du Pont-Marie ?	Rendez-vous au **143**
Retourner chez M. de la Gaillottière en espérant qu'on vous donnera des nouvelles de sa santé ?	Rendez-vous au **155**
Aller faire des achats que vous estimez indispensables ?	Rendez-vous au **24**

148

Sachant que le dénommé Archibald de Joubeuf attache une grande importance aux signes extérieurs de richesse et de noblesse, vous avez tout intérêt à vous vêtir avec élégance avant de lui rendre visite. Vous retournez donc dans votre chambre de la place Dauphine pour endosser votre belle redingote que vous agrémentez de dentelles le cas échéant. Si vous avez des souliers vernis, chaussez-les, votre élégance n'en sera que plus appréciée. Vous pouvez à présent vous mettre en chemin et vous diriger vers la rue des Perchamps, à Auteuil, où réside M. de Joubeuf. Rendez-vous au **170**.

Qu'allez-vous faire à présent ?

Vous précipiter chez M. de
Joubeuf pour l'avertir de
l'attentat qui se prépare ?   Rendez-vous au **106**

Vous précipiter au Champ-
de-Mars pour essayer d'empêcher la montgolfière de
prendre son vol ?   Rendez-vous au **228**

150

— Trois louis ? dit l'homme. Oui, bon, va pour trois
louis, mais les as-tu, au moins ?
Vous lui donnez alors les trois pièces qu'il enferme
dans sa main comme s'il avait peur de les voir
s'échapper.
— Le cheval est à toi, lance-t-il, c'est une bonne
bête, elle te mènera loin. Mais au fait, où vas-tu
ainsi ? Tu n'es pas de Paris, on dirait ?
Rendez-vous au **176** pour répondre à sa question.

151

Quelques minutes plus tard, le domestique vient
vous informer que Mme la Comtesse vous attend.
Vous le suivez à travers plusieurs pièces et vous arrivez enfin dans un vaste salon à l'ameublement
luxueux, aux murs ornés de tapisseries et de tableaux
représentant des portraits ou des scènes de genre. La
comtesse de Sainte-Mouffle est assise sur un sofa.
Elle est vêtue d'une robe somptueuse en satin bleu
agrémenté de dentelles, et dont le décolleté encadre
un collier de perles fines qui suffirait à payer la ran-
çon d'un roi. Comme sur le médaillon en émail, la
comtesse est coiffée d'une haute perruque aux
mèches en rouleaux, surmontée d'un bonnet à plu-

mes. Un abbé en soutane est assis dans un fauteuil à côté d'elle. L'homme est jeune, il a les cheveux blonds et raides, un visage impassible et des yeux d'un bleu pâle qui vous fixent avec attention.

— Qu'il me soit permis, madame, de vous présenter mes respectueux hommages, dites-vous avec votre accent russe et en faisant une profonde révérence.

La comtesse de Sainte-Mouffle éclate alors de rire.

— Quel délicieux accent vous avez là ! s'exclame-t-elle, où avez-vous appris le français, monsieur ?

— J'avais un précepteur français, répondez-vous. Ma famille a toujours aimé et admiré votre pays.

— J'en suis bien aise, dit la comtesse. Je vous présente l'abbé Goulot du Pauillac, mon confesseur, ajoute-t-elle en désignant l'ecclésiastique d'un geste de la main.

Vous échangez un salut avec l'abbé qui vous adresse un sourire cordial.

— Mais dites-moi, monsieur, reprend la comtesse, venez-vous tout droit d'un champ de bataille ou vous apprêtez-vous à vous rendre sur le pré pour arborer ainsi votre épée ?

Il semble que vous ayez commis une faute de goût en vous présentant avec une arme devant cette femme et il vous faudra à l'avenir faire un peu plus attention à de tels détails.

— Pardonnez-moi, madame, mais j'arrive aujourd'hui même à Paris. Je suis encore en tenue de voyage.

— Et que me vaut donc l'honneur d'une visite si prompte ? Vous êtes, je crois, un ami de monsieur de la Gaillottière ? Comment va-t-il, le cher homme ?

— Mal, madame, très mal, peut-être même nous a-t-il quittés au moment où je vous parle.

— Quoi ? Qu'est-il arrivé ?

— Un assassinat, madame, la dernière fois que j'ai

vu le baron, il y a moins d'une heure, il était à l'article de la mort.

— Oh, mon Dieu ! s'exclame la comtesse, visiblement bouleversée. De grâce, parlez : que s'est-il passé ?

Vous lui faites succinctement le récit de l'agression dont le baron a été victime, tout en omettant de préciser que vous ne connaissiez pas le malheureux.

— Mon Dieu, je suis au désespoir ! se lamente la comtesse, un homme si bon, il était bon, n'est-ce pas, mon père ?

— Très bon, madame, un homme très bon, en vérité, murmure l'abbé.

— Je... Je dois également vous dire... commencez-vous.

— Eh bien, dites... vous encourage la comtesse.

— C'est quelque peu délicat...

— Il faut de toute façon que je m'en aille, intervient l'abbé. Je regrette infiniment ce qui est arrivé à monsieur de la Gaillottière, je ferai des prières pour qu'il se rétablisse. Espérons qu'avec l'aide de Dieu...

L'ecclésiastique se lève alors, vous salue, puis quitte le salon, accompagné par la comtesse.

— Ayez la bonté de m'attendre, monsieur, je ne serai pas longue, vous dit-elle.

Un instant plus tard, il n'y a plus que vous dans la pièce. Les pas de l'abbé et de Mme de Sainte-Mouffle s'éloignent et vous disposez à présent de quelques minutes de tranquillité pour essayer de découvrir un quelconque indice qui vous sera peut-être utile dans la suite de votre enquête. Dans un coin du salon se trouve un secrétaire dont l'abattant est ouvert. Vous pouvez, si tel est votre désir, examiner le contenu de ce meuble, et notamment de ses tiroirs ; rendez-vous pour cela au **113**. Si vous préférez vous intéresser à un coffret posé sur une commode, rendez-vous au **58**. Enfin, s'il vous semble plus judicieux de jeter un coup d'œil aux bibelots exposés dans une vitrine, entre les deux hautes fenêtres qui vous font face, rendez-vous au **171**. Et sachez faire preuve de discernement, car le temps dont vous disposez ne vous permettra de faire qu'un seul choix parmi les trois qui vous sont proposés.

152

Les champignons qui accompagnent les aiguillettes de perdrix vous semblent suspects et vous décidez de n'y pas toucher : on n'est jamais trop prudent ! Vous mangez cependant le reste du repas, puis vous faites débarrasser les plats. Rendez-vous alors au **37**.

153

— Moi non plus, l'homme était masqué, répondez-vous.

— Que faisiez-vous en compagnie du baron ? demande alors le commissaire.

— A la vérité, je n'étais pas en compagnie du baron, je cherchais seulement à le rencontrer et je savais qu'il était venu vous voir.

— Comment le saviez-vous ?

— Son domestique me l'avait dit. D'ailleurs, l'assassin m'avait précédé chez monsieur de la Gaillottière, je l'ai même croisé un peu brutalement dans l'escalier.

Le commissaire fronce les sourcils.

— Expliquez-moi cela, dit-il.

Vous lui racontez alors le détail de votre visite chez le baron. Votre interlocuteur hoche la tête d'un air perplexe.

— Et quand vous l'avez croisé, cet homme était également masqué ? demande-t-il.

— Je n'ai même pas eu le temps de m'en rendre compte mais d'après le domestique, il l'était. Quant à moi, tout ce que je sais c'est qu'il portait au moment de son forfait un masque rouge... Rouge sang, pour être précis...

— Que voulez-vous dire ?

— N'existe-t-il pas une association secrète que l'on appelle la confrérie du Masque de Sang ?

— Vous êtes donc de ceux qui prêtent foi à ces balivernes ? Il y a à Paris et dans tout le royaume des dizaines de sociétés que l'on dit secrètes et dans lesquelles il ne faut voir que rassemblements de têtes creuses toutes boursouflées d'importance, mais très inoffensives. Votre confrérie du Masque de Sang, comme vous l'appelez, n'est sans doute rien d'autre qu'un de ces cénacles de simplets.

— Et si ces « simplets », comme vous dites, étaient des assassins ? Si Thibaud de Ponsac, si Robert de la Gaillottière étaient bel et bien leurs victimes ?

— Je comprends que vous ayez peine à croire à la culpabilité de votre parent dans le meurtre de monsieur de Ponsac. Pour quelque obscure raison, le baron de la Gaillottière nourrissait les mêmes doutes à ce sujet ; mais trop de preuves désignent Hensock Lefollet comme l'auteur du crime. J'en parle en connaisseur : c'est moi qui ai fait arrêter votre parent...

— Vous ? !

— L'enquête était simple à mener, l'arme du crime se trouvait dans la chambre qu'occupait Hensock Lefollet, l'assassin n'avait pas même pris la peine d'essuyer le sang de la lame.

— N'importe qui pouvait déposer cette arme dans sa chambre, faites-vous remarquer.

— Certainement pas, réplique Du Réner, monsieur Lefollet — l'aubergiste en porte témoignage — s'était couché de bonne heure le jour du crime. Il était huit heures lorsqu'il avait regagné sa chambre où il s'est fait servir à souper. Le meurtre s'était déroulé une heure auparavant. Sur dénonciation, la police est arrivée à l'auberge du Pont-Marie le lendemain à six heures et l'on a trouvé sous le lit de votre parent la dague qui avait tué monsieur de Ponsac.

— Quelqu'un l'aura glissée là pendant son sommeil...

— Impossible, la porte et la fenêtre étaient fermées de l'intérieur.

— Sans doute avait-on le double de la clé ?

— Le verrou était tiré, on ne pouvait l'ouvrir de l'extérieur.

— Et comment peut-on être sûr qu'il s'agit bien de l'arme du crime ?

— La dague appartenait à monsieur de Ponsac en personne. C'est dans le bureau de celui-ci que l'assassin l'a tué après s'être emparé de la dague qui était exposée au mur. Un domestique a vu le crime se commettre, il a vu la dague dans la main du criminel, malheureusement, ce dernier avait le visage masqué, il n'a pu apercevoir ses traits.

— Le masque était-il également rouge ?

— Non, c'était un masque noir qui couvrait tout le visage. Hélas ! monsieur, il faut accepter la vérité. Elle est d'ailleurs fort simple : une fois son forfait accompli, Hensock Lefollet dissimule la dague sous ses vêtements, il rentre à l'auberge et se couche en se promettant sans doute de se débarrasser de l'arme dès le lendemain. Il n'avait cependant pas songé que quelqu'un pût le dénoncer.

— Et qui l'a dénoncé ?

— Souffrez, monsieur, que je laisse votre question

sans réponse ; il est de mon devoir de ne pas compromettre cette personne, laquelle a aidé la justice de son mieux. Monsieur de la Gaillottière voulait entendre de moi tous les détails de l'affaire et me convaincre qu'il fallait reprendre l'enquête. Mais il n'y a rien à reprendre, tout est clair.

— Et où se trouve Hensock Lefollet, à présent ?

— Cela, monsieur, est un secret, n'oubliez pas qu'il s'agit d'une affaire d'Etat. Avez-vous autre chose à me dire qui soit de nature à me renseigner sur l'assassin de monsieur de la Gaillottière ?

Si vous avez poursuivi l'assassin après qu'il eut accompli son crime, rendez-vous au **60**. Dans le cas contraire, rendez-vous au **74**.

154

L'abbé s'éloigne le long de la rue Montpensier et vous le suivez à distance. Il tourne à droite, puis à gauche et encore à droite et vous le voyez alors se diriger vers une église, ce qui n'a rien de surprenant de la part d'un ecclésiastique. Mais au lieu d'y pénétrer par la grande porte, il en fait le tour et descend quelques marches qui mènent à une porte basse aménagée au flanc de l'édifice. Il ouvre la porte, en franchit le seuil, puis la referme. Vous attendez un bon quart d'heure avant de vous décider à vous approcher à votre tour de la porte. Celle-ci est fermée à clé, mais elle n'est guère solide et vous parvenez à la forcer à l'aide de votre poignard. Vous pénétrez alors dans une sacristie où s'entassent dans un surprenant désordre des vêtements et des accessoires sacerdotaux, notamment une soutane qui semble être celle que l'abbé Goulot du Pauillac portait auparavant. Il n'y a personne dans la pièce, l'abbé a disparu. Si l'assassin de Thibaud de Ponsac est mort, rendez-vous au **215**. Dans le cas contraire, rendez-vous au **268**.

155

Vous vous hâtez donc de revenir au trente de la rue de l'Université. Lorsque vous arrivez, le domestique que vous connaissez déjà vous ouvre la porte. Il paraît encore plus catastrophé que lors de votre première visite.

— Ah, Monsieur, gémit-il, quel malheur ! Quel grand malheur !

— Le baron est-il... ? demandez-vous avec appréhension.

— Monsieur le Baron est très grièvement blessé, dit l'homme, les chirurgiens ne savent s'il survivra... Ah, mon Dieu, quel malheur !

— Où est monsieur de la Gaillottière ? interrogez-vous.

— Ici, Monsieur, vous répond le domestique, on l'a ramené chez lui et monsieur de Courtemare veille à son chevet.

— Monsieur de Courtemare ?

— Un de ses très fidèles amis.

— Je voudrais rencontrer ce monsieur de Courtemare, dites-vous en entrant dans le vestibule.

— C'est que... commence le domestique.

— C'est que quoi ?

— Monsieur le Baron est très mal et...

— Et je veux rencontrer monsieur de Courtemare, tranchez-vous d'un ton péremptoire. Où se trouve-t-il ?

— Je... je vais vous conduire, dit le domestique d'une voix apeurée.

Il vous fait pénétrer dans l'appartement et vous le suivez le long d'un couloir sombre.

L'homme s'arrête devant une porte, frappe doucement contre le panneau et ouvre. La chambre du baron de la Gaillottière est vaste et décorée avec goût. Deux chandeliers posés aux deux extrémités d'une large cheminée diffusent une faible lumière. Un homme est assis à côté du lit à baldaquin dans lequel repose le baron de la Gaillottière. Celui-ci a la tête entourée d'un linge maculé de sang. Le teint livide, les yeux clos, il respire faiblement ; n'était ce souffle précaire qui le rattache encore à la vie, on le croirait mort. Lorsque vous entrez dans la pièce, l'homme assis près du lit se lève et s'avance vers vous.

— Qui êtes-vous, monsieur ? chuchote-t-il, l'air soupçonneux.

Le commissaire Du Réner vous a révélé que le baron croyait Hensock le Follet innocent du crime dont on l'accuse. Il ne vous paraît donc pas imprudent de vous présenter sous le nom de « Lefollet » en sa maison. L'homme a une réaction de surprise en vous entendant prononcer ce nom.

— Seriez-vous parent de... commence-t-il.

— En effet, répondez-vous en lui épargnant la peine d'achever sa question.

— Vous connaissez le baron ? demande-t-il.

— Hélas ! La première fois que je l'ai vu, il était trop tard pour faire sa connaissance.

— Que voulez-vous dire ?

Vous lui racontez alors votre arrivée devant le Châtelet et la tentative d'assassinat dont vous avez été témoin. L'homme vous écoute avec gravité, puis vous fait signe de le suivre.

— Venez, dit-il, allons dans la bibliothèque. Eusèbe, restez au chevet de Monsieur, ajoute-t-il à l'adresse du domestique.

La bibliothèque du baron de la Gaillottière est une longue pièce haute de plafond où les livres occupent non seulement les étagères fixées aux murs, mais également la grande table d'acajou qui trône au centre et une bonne partie du parquet de bois ciré. L'homme vous fait asseoir sur une chaise et prend place sur un autre siège, en face de vous.

— Mon nom est Eloi de Courtemare, dit l'homme, je suis un ami intime du baron de la Gaillottière. Lorsque le baron s'est rendu au Châtelet, je venais de le quitter. Je sais que depuis plusieurs semaines, il s'attachait à éclaircir les circonstances dans lesquelles Thibaud de Ponsac a été assassiné. D'après lui, votre parent n'était pas coupable et tout à l'heure, avant son départ pour le Châtelet, il m'a affirmé avoir découvert la clé de l'énigme. Pour en être tout à fait sûr, il lui manquait de connaître quelques détails que seul le commissaire Du Réner pouvait lui fournir. Il m'avait promis qu'en sortant de chez le commissaire, il viendrait aussitôt me rejoindre pour me dire si, à la lumière de ce qu'il aurait appris, ses conclusions étaient justes. Hélas ! vous connaissez la suite...

— Et vous n'avez aucune idée de ce qu'il avait découvert ?

— Pas la moindre. Il assurait que l'affaire était trop grave et mettait en cause trop de gens réputés irréprochables pour qu'il puisse parler sans avancer des preuves certaines.

— Ainsi, on a voulu l'empêcher de dire la vérité...

— Oui, et je crains malheureusement que cette vérité ne soit jamais connue. Le baron est au plus mal. A en croire les médecins, il ne survivra guère longtemps. Si j'avais pu me douter qu'en le quittant tout à l'heure... Il semblait si heureux d'avoir mené à bien ses investigations... Lui qui d'habitude n'avait jamais soif, il avait même bu d'un trait un litre d'orangeade. « Je bois à la vérité » m'a-t-il dit, et quand il est parti, il a ajouté qu'il était près d'éclater, mais que la vérité, elle aussi, éclaterait bientôt. Moins d'une heure plus tard, il tombait sous les coups de son assassin...

Machinalement, vous avez pris l'un des livres posés sur la table d'acajou devant laquelle votre hôte vous a fait asseoir. C'est une œuvre philosophique de Diderot que vous feuilletez.

— Le baron et ses livres... soupire Eloi de Courtemare, c'est sa seule passion. Il a connu monsieur Diderot personnellement et lui portait une grande admiration. D'après lui, c'est un des hommes qui ont le mieux combattu les mensonges de la religion.

— Le baron ne croit pas en Dieu ? vous étonnez-vous.

— Certes pas, et il ne déteste rien tant que les gens d'église. A ses yeux, ce ne sont que coquins et ignorants.

Ce que vient de vous dire votre interlocuteur vous laisse perplexe. Voilà qui est troublant...

— Et vous, monsieur, que pensez-vous de toute cette affaire ? demande M. de Courtemare. J'imagine que vous ne croyez pas à la culpabilité de votre parent ?

— Pour moi, son innocence ne fait aucun doute, en effet, répondez-vous, et j'entends en apporter la preuve.

— Quel malheur que le baron ne m'ait rien révélé avant ce rendez-vous fatal ! Avez-vous réussi à découvrir quelque chose de votre côté ?

Si vous avez déjà rencontré la femme dont le portrait est représenté sur le médaillon que le baron conservait dans sa poche, rendez-vous au **36**. Dans le cas contraire, rendez-vous au **64**.

Le destin a décidé de vous aider en vous faisant tirer
cette carte. Le choc entre les deux bateaux a été tel
en effet qu'il ne reste plus que 4 adversaires à combattre, 2 pour chacun de vous. Mais l'homme au pistolet est resté debout. Retournez au numéro d'où
vous venez pour mener le combat.

Vous retournez dans votre chambre de la place
Dauphine et vous revêtez votre robe. Vous vous
coiffez également de votre perruque, puis vous vous
contemplez dans un miroir. L'ensemble est du meilleur effet : la mode du XVIIIe siècle vous sied à merveille et il ne fait aucun doute que M. de Joubeuf
sera impressionné par le raffinement de votre élégance. Vous quittez à présent la maison en prenant
bien garde de ne pas rencontrer votre logeuse ; elle
n'apprécierait probablement pas que l'homme
auquel elle pense avoir loué sa chambre soit devenu
une femme ! Bien entendu, il n'est plus question
pour vous de vous déplacer à cheval ainsi vêtue et
vous louez donc pour la journée une voiture de
remise avec cocher. Il vous en coûte 2 écus, mais
vous pourrez au moins voyager en toute quiétude,
sans attirer les regards ni salir vos atours. Vous
ordonnez à votre cocher de vous emmener au village
d'Auteuil. Le trajet est long et vous avez tout loisir
d'admirer la capitale et ses environs tandis que votre
berline cahote le long des rues et des chemins. Enfin,
vous arrivez rue des Perchamps ; la résidence de
M. de Joubeuf n'est pas difficile à trouver : un
immense portail ouvragé porte, en effet, le nom « de
Joubeuf » inscrit en lettres d'or. Le portail ouvre sur
une allée qui mène à une maison d'un singulier mauvais goût. Un escalier à double révolution, aux ram-

pes ornées de statues de marbre représentant des figures de la mythologie grecque, donne accès à une double porte vitrée surmontée de moulures contournées. La maison dans son ensemble a l'air d'une gigantesque pâtisserie surchargée de décorations pompeuses et toute cette exhibition d'opulence sent son négociant enrichi. Vous sortez de votre voiture et vous commandez à votre cocher de vous attendre. Vous montez ensuite l'escalier puis vous annoncez au domestique qui vient à votre rencontre que vous désirez voir M. de Joubeuf. Vous avez décidé de reprendre le rôle d'aristocrate russe que vous aviez joué auprès de la comtesse de Sainte-Mouffle, mais au féminin, cette fois, et vous vous présentez sous le nom de princesse Katia Ivanovna Perenniov.

— Monsieur est dans le parc, je vais voir s'il peut vous accorder une audience, répond le domestique.

« Vous accorder une audience ! » La formule correspond bien à la prétention qui caractérise cette demeure ! Ainsi donc, M. Joudebeuf, dit « de Joubeuf », ne reçoit pas de visites, il « accorde des audiences » ! Ah, le piètre boutiquier !

Le domestique vous fait asseoir dans un petit salon tandis qu'il va avertir « Monsieur ». Vous voilà donc seule pendant quelques minutes et si vous le désirez vous allez pouvoir en profiter pour jeter un coup d'œil autour de vous. Tout comme le reste de la maison, cette pièce est encombrée de meubles et d'objets qui rivalisent de mauvais goût. Une commode à tiroirs installée dans un coin vous semble cependant intéressante. Il y a également une bibliothèque, près de la fenêtre, que vous aurez peut-être envie d'inspecter. Enfin, une autre porte que celle par laquelle vous êtes entrée est aménagée dans le mur qui vous fait face.

Si vous souhaitez ouvrir les tiroirs de la commode,

rendez-vous au **214**. Si vous préférez vous intéresser à la bibliothèque, rendez-vous au **19**. Enfin, s'il vous semble plus judicieux d'aller ouvrir la porte en face de vous, rendez-vous au **32**. Bien entendu, vous pouvez également ne rien faire de tout cela et attendre sagement le retour du domestique. Rendez-vous dans ce cas au **130**.

158

Si vous étiez habillée en femme lors de cette visite, rendez-vous au **46**. Si vous étiez habillée en homme, rendez-vous au **149**.

159

Vous vous éloignez du moulin au triple galop en espérant n'avoir pas trop de mal à trouver la rue des Vinaigriers. Vous éprouvez quelque remords à avoir volé ce cheval, mais il vous fallait arriver à Paris au plus vite et vous vous promettez de rendre sa monture au meunier lorsque vous n'en aurez plus besoin. Si toutefois vous vivez suffisamment longtemps pour cela ! En attendant, rendez-vous au **98**.

160

Le bateau du Masque de Sang n'est pas le seul à avoir souffert de la collision. Celui de votre sœur est également endommagé et vous avez tout juste le temps de le ramener sur la rive avant qu'il ne coule à son tour. Vous êtes tous deux sains et saufs, mais bien loin de l'endroit où vos chevaux sont attachés. Il vous faut plus de deux heures pour revenir là où vous les aviez laissés. Il est maintenant 7 heures du matin.

— Eh bien, nous n'avons plus qu'à nous séparer et à poursuivre notre mission chacun de notre côté, dit votre sœur.

— Je m'occupe d'empêcher l'attentat de la montgolfière, proposez-vous.

— Soit. Pour ma part, j'essaierai de savoir où Hensock le Follet a été enfermé.

— Une question encore : peux-tu me dire où se trouve le quartier général du Masque de Sang ?

— Je l'ignore. Il y a trop peu de temps que je fréquente la confrérie. Je ne sais encore que peu de chose sur eux.

Cette réponse vous laisse sceptique. Votre sœur entend garder pour elle les informations qui vous faciliteraient par trop la tâche. Elle veut bien partager, mais sans excès ! Vous lui en voulez quelque peu, mais après tout, c'est de bonne guerre : n'oubliez pas que vous êtes concurrents... Vous n'insistez donc pas et vous la quittez là, chacun de vous allant de son côté. Qu'allez-vous faire à présent ?

Vous précipiter chez M. de Joubeuf pour l'avertir de l'attentat qui se prépare ?   Rendez-vous au **106**

Vous précipiter au Champ-de-Mars pour essayer d'empêcher la montgolfière de prendre son vol ?   Rendez-vous au **228**

Si vous connaissez déjà le nom de l'homme au masque rouge, rendez-vous au **173**. Sinon, rendez-vous au **275**.

— Que lui voulez-vous, mademoiselle ? demande la femme avec une certaine méfiance.

— Etes-vous madame Lestingois ? interrogez-vous.

— En personne...

— Peut-être pourrez-vous me renseigner ? Je cherche un... un membre de ma famille que vous avez sans doute connu...

— Quel est son nom ?

— Hensock. Hensock le Follet, très exactement.

La femme paraît soudain bien sombre.

— Ah, malheur... gémit-elle, le pauvre monsieur Hensock, un homme si bon, et si jovial...

— Qu'y a-t-il, Blandine ? dit alors une voix qui semble provenir de la cave.

Un instant plus tard, une tête apparaît à travers une ouverture découpée dans le sol. C'est celle d'un homme jeune au visage avenant, au regard bleu et franc. L'homme gravit les derniers échelons de l'échelle qui monte du sous-sol et s'avance vers vous. Il vous regarde en souriant, visiblement intéressé par votre aspect.

— Mademoiselle... dit-il en s'inclinant, puis-je faire quelque chose pour vous ? Croyez que ce serait un grand plaisir, si je...

— Timothée ! l'interrompt la femme en lui lançant un regard noir, ce n'est pas le moment de faire le joli cœur, cette demoiselle cherche... le pauvre monsieur Hensock...

— Etes-vous de ses amis ? demande l'homme, soudain grave.

— Je suis de sa famille, déclarez-vous.

— Dans ce cas... Mais il vaut mieux ne pas parler ici, dit l'homme. Blandine, ferme la boutique, nous descendons à la cave. Et vous, charmante demoiselle, suivez-moi donc au bas de l'échelle, mais prenez bien garde à ne pas glisser. Venez, je vous tiendrai la main...

— Timothée ! s'indigne la femme, cette jeune fille n'a besoin de personne pour descendre une échelle ! Vous êtes tout à fait d'accord avec elle. Ces Parisiens, décidément ! Toujours disposés à conter fleurette ! En vous rendant au **145**, vous arriverez au bas de l'échelle sans qu'il soit nécessaire de vous tenir la main.

163

Le destin vous est fatal : en tirant cette carte vous avez signé votre arrêt de mort. L'homme au pistolet vous a en effet tiré une balle en pleine tête en visant si bien que vous mourez sur le coup. Votre cadavre emporté par la Seine viendra s'échouer sur un quai de Paris. On vous enterrera dans la fosse commune et jamais vous ne monterez sur le trône de votre mère.

164

— Ah, comme je vous comprends, Monsieur, répond le vieillard, visiblement ému par les paroles que vous avez su trouver, dans ces conditions, je ne puis qu'accéder à votre demande. Venez avec moi, je vais vous montrer la pièce où mon malheureux maître a trouvé la mort.

Votre ruse a réussi et vous suivez le portier jusqu'au premier étage de la maison. Là, il vous fait pénétrer dans un couloir et vous mène dans un vaste salon aux fenêtres closes. La pièce est plongée dans la pénombre mais on y voit suffisamment pour distinguer la table à laquelle, selon le portier, Thibaud de Ponsac était assis au moment de son assassinat. C'est une longue table d'acajou sur laquelle trône un chandelier solitaire aux bougies depuis longtemps éteintes.

— Que faisait monsieur de Ponsac lorsque son assassin l'a frappé ? demandez-vous.

— Il écrivait, répond le vieil homme. On a retrouvé des lettres que la police a emportées.

Vous vous approchez de la table et vous remarquez une tache d'encre à quelques centimètres du bord. En y regardant de plus près, on dirait que des lettres ont été tracées à même le bois. Le vieil homme se penche à son tour sur la tache.

— Je me suis souvent demandé si Monsieur n'avait pas tenté, dans un dernier effort, d'écrire quelque chose sur cette table avant de mourir, dit-il, voyez, on distingue la lettre « g », puis « o », là, je ne sais si c'est un « n » ou un « u », puis plus rien, Monsieur a succombé avant de pouvoir aller plus loin. Ah, mon Dieu, quel grand malheur !

— Comment monsieur de Ponsac a-t-il été frappé ? demandez-vous.

— Par-derrière, avec la même dague que vous voyez là.

Le portier vous montre une dague fixée au mur, à côté de la porte.

— Il y avait exactement la même arme accrochée symétriquement de l'autre côté de la porte, indique le vieillard. L'assassin s'en est emparé, puis il a frappé Monsieur dans le dos. Monsieur avait tout le côté gauche labouré de coups, c'était affreux... Bastien est arrivé au moment où l'assassin frappait. Pauvre Bastien ! Il se tenait à l'endroit même où vous êtes.

Vous vous trouvez dans l'encadrement de la porte, face à la pièce. La dague est accrochée au mur à votre droite. Celle qui a servi à commettre le meurtre était accrochée à votre gauche. Une autre porte est aménagée dans le mur situé à votre droite.

— Où donne cette autre porte ? interrogez-vous.

— Elle conduit dans les appartements de Monsieur ; c'est par là que l'assassin est entré et c'est par là qu'il s'est enfui.

— Mais comment a-t-il pu accéder aux appartements de monsieur de Ponsac ? vous étonnez-vous.

— Par une fenêtre, sans doute, répond le portier. En tout cas, le pauvre Bastien l'a vu s'enfuir par cette porte, la dague à la main.

— Il avait le visage masqué ?

— Oui, il portait un masque noir.

Tout ce que vous venez d'apprendre vous laisse perplexe. Vous réfléchissez un moment, puis vous jetez un dernier regard dans la pièce. Elle ne contient rien d'autre que des meubles sans grand intérêt et il est clair qu'elle ne peut vous livrer aucun autre indice. Vous demandez alors au portier de vous conduire dans les « appartements de Monsieur », par où l'assassin est entré. C'est une longue enfilade de pièces dont les fenêtres donnent les unes sur la rue, les autres sur une cour intérieure. Le vieil homme ignore par quelle fenêtre l'assassin de Thibaud de Ponsac a pénétré dans les lieux et rien ne vous permet de le deviner. Il ne vous reste donc plus qu'à prendre congé. Vous remerciez le vieillard, puis vous quittez la maison et vous allez reprendre votre cheval qui se trouve non loin d'ici. Réfléchissez bien à tout ce que vous venez de voir et d'entendre : il y a là plusieurs éléments qui vous permettront de progresser dans la découverte de la vérité. Et maintenant, qu'allez-vous faire que vous n'ayez déjà fait ?

Vous rendre chez un certain Mouillard, graveur ? Rendez-vous au **131**

Aller louer la chambre 4 à l'auberge du Pont-Marie ? Rendez-vous au **143**

Retourner chez M. de la Gaillottière en espérant qu'on vous donnera des nouvelles de sa santé ? Rendez-vous au **155**

Aller faire des achats que vous estimez indispensables ? Rendez-vous au **24**

165

Comme prévu, vous trouvez au fond de la nacelle une énorme bombe : la machine infernale que Frontouillard devait jeter sur le peuple de Paris descendu dans la rue pour protester contre le renvoi de Necker.

— Mon Dieu ! C'est horrible ! s'exclame M. de Joubeuf en contemplant l'engin explosif. Je vais immédiatement la faire désamorcer.

Il glisse son pistolet dans sa poche et s'appuie contre la nacelle comme s'il allait se trouver mal.

— Bastien, le brave Bastien qui avait toute ma confiance... soupire-t-il. Et mon vol, mon beau vol dans le ciel de Paris, je ne puis plus le faire, à présent. Ah, Altesse ! Comme le sort est cruel, parfois !

Vous estimez qu'il vaut mieux laisser M. de Joubeuf à ses lamentations et vous occuper de poursuivre votre mission. La mort de Bastien Frontouillard ne vous arrange guère : il aurait mieux valu, en effet, pouvoir le livrer à la police et le faire avouer. C'était le meilleur moyen d'innocenter Hensock le Follet. Il s'agit maintenant de retrouver la piste du Masque de Sang, mais tout d'abord, vous retournez dans votre chambre de la place Dauphine pour vous débarrasser de votre robe et vous habiller à nouveau en homme. Vous décidez ensuite d'aller raconter tout ce qui s'est passé depuis la nuit dernière à M. de Courtemare. Il faut d'urgence le mettre en garde contre les projets d'assassinat dont vous avez eu connaissance. Après vous être changée, vous reprenez donc votre cheval et vous vous rendez au **255**.

166

— Tout le monde la connaît, à Paris, assure M. de Courtemare. C'est une charmante écervelée, très riche et très généreuse, toujours prête à faire bénéficier de ses largesses les causes les plus diverses. Elle donne souvent des fêtes fastueuses dans son hôtel de la rue de Varenne, à l'angle de la rue du Bac.

— Croyez-vous qu'elle pourrait soutenir une organisation telle que le Masque de Sang ? interrogez-vous.

— Voilà qui m'étonnerait beaucoup. Vous pensez donc que le Masque de Sang est à l'origine de toute cette affaire ?

— On m'a affirmé que c'était dans ses rangs qu'il fallait chercher les assassins de Thibaud de Ponsac. Et n'oubliez pas que, comme je vous l'ai dit, l'homme qui a tenté de tuer le baron de la Gaillottière portait un masque rouge...

— C'est une coïncidence troublante, en effet.

— Peut-être des membres de la confrérie profitent-ils de la générosité de la comtesse à l'insu de celle-ci ?

— C'est possible, personne ne sait qui appartient au Masque de Sang. En général, Clotilde de Sainte-Mouffle porte un intérêt tout particulier aux œuvres religieuses. C'est probablement un moyen de se faire pardonner ses frivolités ! Je l'imagine difficilement se mêlant d'affaires politiques, mais rien ne dit que certains de ceux qui bénéficient de ses dons ne les détournent pas au profit de causes douteuses.

— C'est un des points que je devrai m'efforcer d'éclaircir. Et puisque vous me faites l'amabilité de me fournir des renseignements précieux, peut-être pourrais-je encore vous demander quelque chose ?

— Je serais honoré de vous répondre, déclare aimablement M. de Courtemare.

Si vous avez réussi à découvrir au service de quel nouveau maître s'est mis le domestique témoin de l'assassinat de Thibaud de Ponsac, rendez-vous au **139**. Dans le cas contraire, rendez-vous au **123**.

167

Vous avez dormi profondément lorsque vous ouvrez soudain les yeux : il y a quelqu'un dans votre chambre ! A la lueur de la veilleuse, vous distinguez la silhouette d'un homme qui fouille vos affaires. Si vous avez fait l'acquisition d'un pistolet, rendez-vous au **182**. Dans le cas contraire, rendez-vous au **89**.

168

— Acheter mon cheval ? demande l'homme d'un air méfiant. Tu ne me parais pas assez riche pour cela ! Combien m'en donnerais-tu ?

Vous possédez 5 louis que votre mère vous a donnés ; à combien estimez-vous la monture de l'homme enfariné ?

1 louis	Rendez-vous au **111**
2 louis	Rendez-vous au **212**
3 louis	Rendez-vous au **150**
4 louis	Rendez-vous au **187**
5 louis	Rendez-vous au **121**

169

Vous sortez votre pistolet et Bastien Frontouillard le sien. Vous allez devoir livrer deux Assauts, contre lui. Vous calculerez votre rapidité selon la règle habituelle.

BASTIEN
FRONTOUILLARD   MAÎTRISE : 18   FORCE : 20

Si vous survivez à ces deux Assauts, rendez-vous au **172**.

170

Le chemin qui mène au village d'Auteuil est long, mais vous arrivez à le parcourir sans vous perdre et vous en profitez pour admirer les beautés architecturales de la capitale et de ses environs. Lorsque vous parvenez enfin rue des Perchamps, vous n'avez aucun mal à trouver la résidence de M. de Joubeuf : un immense portail ouvragé porte, en effet, le nom « de Joubeuf » inscrit en lettres d'or. Le portail ouvre sur une allée qui conduit à une maison d'un singulier mauvais goût. Un escalier à double révolution, aux rampes ornées de statues de marbre représentant des figures de la mythologie grecque, donne accès à une double porte vitrée surmontée de moulures contournées. La maison dans son ensemble a l'air d'une gigantesque pâtisserie surchargée de décorations pompeuses et toute cette exhibition d'opulence sent son négociant enrichi. Vous mettez pied à terre et vous montez l'escalier. A l'entrée, un domestique vous accueille à qui vous annoncez que vous désirez voir M. de Joubeuf. Vous avez décidé de reprendre le rôle d'aristocrate russe que vous aviez joué auprès de la comtesse de Sainte-Mouffle et vous vous présentez donc à nouveau sous le nom de prince Igor Ivanovitch Perenniov. Si vous portez une redingote à parements dorés, rendez-vous au **186**. Dans le cas contraire, rendez-vous au **125**.

171

Avant d'examiner les objets disposés dans la vitrine, vous regardez par la fenêtre qui donne sur la cour de l'hôtel. L'abbé Goulot du Pauillac est en train de prendre congé de la comtesse sur le perron. Il monte dans un fiacre qu'on a fait venir pour lui et il disparaît de votre vue. Vous reportez alors votre attention sur les bibelots. Autant que vous puissiez en juger, il s'agit d'objets précieux dont chacun vaut à lui seul une petite fortune. Il y a là des figurines d'ivoire, des assiettes en or ciselé, une petite horloge incrustée de pierreries, deux carafes de cristal, trois coupelles en porcelaine d'une si grande finesse qu'elle semble transparente et un petit poignard au manche d'argent dans lequel une magnifique émeraude a été sertie. Tous ces trésors sont sans nul doute d'une grande beauté, mais ils ne vous aident en rien dans votre enquête. Il ne vous reste donc plus qu'à vous intéresser à autre chose, au secrétaire par exemple. Hélas ! alors que vous vous apprêtez à ouvrir les tiroirs du meuble, vous entendez un bruit de pas dans le couloir qui mène au salon. La comtesse revient. Vous vous éloignez alors du secrétaire et vous faites semblant de contempler un tableau accroché entre deux draperies.

— Vous aimez la peinture, prince ? demande Mme de Sainte-Mouffle d'un ton aimable tandis qu'elle entre à nouveau dans la pièce.

Vous lui ferez part de vos goûts picturaux en vous rendant au **10**.

172

Alors que vous vous apprêtez à tirer une troisième fois, un autre coup de feu éclate. Une tache rouge apparaît aussitôt entre les deux yeux de votre adversaire qui s'écroule sur le sol, tué net. Vous vous retournez : c'est M. de Joubeuf qui vient de tirer.

— Un domestique ! Se battre contre un prince ! s'indigne-t-il. Etes-vous blessé, Monseigneur ?

— Non, non, ce n'est rien.

Vous vous hâtez d'aller voir à l'intérieur de la nacelle et vous vous rendez au **191** pour découvrir ce qu'elle contient.

173

Soudain, l'un des hommes qui travaille près de l'aérostat, et dont, jusqu'à présent, vous n'aperceviez que le dos, se retourne. C'est Bastien Frontouillard, l'homme qui a assassiné Thibaud de Ponsac, l'homme qui a tenté de tuer le baron de la Gaillottière, l'homme, enfin, qui a essayé de vous tuer, vous. Dès que vous le reconnaissez, vous vous tournez vers le domestique pour essayer d'échapper à son regard, mais vous n'avez pas été assez rapide : Frontouillard vous reconnaît à son tour et s'éclipse aussitôt. Il ne vous avancerait à rien d'essayer de le rattraper ; d'ailleurs, il se peut qu'Archibald de Joubeuf ne soit pas innocent dans cette affaire et vous ne feriez que vous jeter dans la gueule du loup en agissant de la sorte. Non, pour l'instant, mieux vaut quitter les lieux au plus vite et retourner à Paris où vous avez rendez-vous à 4 heures avec le commissaire Du Réner devant l'auberge du Pont-Marie. En attendant, vous vous hâtez de repartir en plantant là le domestique. Si vous le désirez, vous pouvez prendre un repas en cours de route. Il vous en coûtera 40 sols et vous regagnerez 2 points de FORCE. En sortant de table, vous vous rendrez alors au **241** pour retrouver le commissaire.

174

Vous dégainez votre arme et vous tirez un coup de feu en direction de Frontouillard. Lancez un dé. Si vous obtenez un chiffre impair, vous ratez votre coup et vous vous rendez au **209**. Si vous obtenez un chiffre pair, votre adversaire est touché ; vous vous rendez alors au **195**.

175

L'homme en rouge a de plus en plus de mal à marcher et vous gagnez du terrain sur lui. Vous parvenez à le rattraper alors qu'il est tout près de la porte vers laquelle il courait. Une courte lutte s'ensuit et vous parvenez soudain à lui arracher son masque. Jamais vous n'avez vu son visage, mais il ne fait aucun doute qu'il restera gravé dans votre mémoire. L'homme a une quarantaine d'années, des traits épais, un nez fort et retroussé, des sourcils touffus qui lui donnent un air féroce et des yeux d'un bleu délavé.

— Maudit ! s'exclame-t-il.

D'un geste brusque, il parvient alors à se dégager et c'est à ce moment que s'éteint la chandelle dont la flamme éclairait faiblement la cave. Il règne soudain une obscurité totale que l'homme à la cape rouge met à profit pour vous échapper. Vous entendez presque aussitôt une porte claquer et des pas s'éloigner. Inutile de poursuivre votre adversaire, vous ne parviendriez pas à le rattraper. Si cela vous chante, vous pouvez prendre le masque qui dissimulait son visage. Vous remontez ensuite l'escalier jusqu'à la chambre où vous prenez votre lampe, puis vous redescendez pour examiner la cave. Rendez-vous au **190**.

176

— En effet, je ne suis pas d'ici, répondez-vous, c'est la première fois que je viens à Paris et je cherche la rue des Vinaigriers.

— Tu la trouveras facilement, dit l'homme, il te suffira de suivre la route de Meaux jusqu'à la place du Combat ; de là, tu continueras tout droit vers le faubourg du Temple, tu longeras l'hôpital Saint-Louis et tu trouveras la rue des Vinaigriers à main droite. Mais fais bien attention lorsque tu traverseras la place du Combat ; ne va pas sottement parier sur l'un de ces combats d'animaux qu'on montre là-bas, tu risquerais de perdre tout ton argent et de t'attirer des ennuis.

— Merci du conseil, lui dites-vous en montant sur le cheval, et maintenant, adieu, Paris m'attend...

— Encore une chose, reprend le meunier, tu ferais bien de changer de vêtements si tu ne veux pas qu'on se moque de toi, à Paris ; on dirait que tu viens tout droit de la guerre de cent ans dans cet accoutrement !

— Soit, j'irai chez le fripier. Bonne journée, l'ami !

Vous vous éloignez aussitôt du moulin avec l'intention de vous rendre au plus vite chez Timothée Lestingois.

Rendez-vous au **98**.

Voilà une bien mauvaise carte. Dans la nuit noire, vous perdez en effet le sens de l'orientation et vous ne savez littéralement plus où donner de la tête, ce qui vous amène à tomber dans l'eau où vous avez tôt fait de vous noyer. Vous ne reverrez donc jamais le Royaume du Temps.

M. de Courtemare est chez lui et vous reçoit avec grand plaisir. Vous lui demandez tout d'abord des nouvelles du baron de la Gaillottière. Il semble que celui-ci aille légèrement mieux. Il n'a pas encore repris connaissance, mais il respire sans difficulté, son cœur bat régulièrement et les chirurgiens estiment que sa blessure a désormais quelques chances de se cicatriser.

— Et vous ? s'enquiert M. de Courtemare.

Vous lui racontez alors les événements de la nuit précédente en n'omettant aucun détail.

Si vous avez réussi à démasquer votre agresseur, rendez-vous au **16**. Dans le cas contraire, rendez-vous au **28**.

— C'est très simple, reprend votre frère, lorsque les hommes du Masque de Sang auront chargé les armes sur leur bateau, nous les suivrons à distance sur une autre embarcation, puis nous attendrons l'occasion de les éperonner. Leur bateau est moins solide que le mien, nous parviendrons ainsi à couler leur cargaison. Nous aurons sans doute à nous battre, mais j'imagine que cela ne te fait pas peur ? Il est essentiel que nous détruisions ces armes et que nous empêchions l'attentat qui doit être commis à l'aide de la montgolfière. La vie de centaines de personnes en dépend, ainsi que la réussite de notre mission.

Il a raison, vous ne pouvez que l'approuver et vous acceptez donc de l'aider à réaliser son plan. Vous vous dirigez vers la Seine, à l'endroit où votre frère a amarré son bateau. C'est une lourde embarcation munie d'une voile. Vous montez à bord après avoir attaché vos chevaux, et vous glissez sur l'eau du fleuve jusqu'au Pont-Marie. Là, vous cachez votre bateau parmi d'autres embarcations. De votre point d'observation, vous pouvez surveiller l'entrée d'un passage situé en contrebas du quai Saint-Paul. D'après votre frère, c'est là qu'aboutit un souterrain qui part des sous-sols de l'auberge du Pont-Marie. Les armes que vous aviez vues dans la cave ont été entreposées dans ce sous-sol dont vous ignoriez l'existence. De là, elles seront amenées jusqu'à la Seine, puis chargées à bord du bateau. C'est votre frère qui vous donne toutes ces précisions et vous êtes quelque peu vexée de n'avoir pas fait ces découvertes vous-même, mais tant pis, l'essentiel étant que vous le sachiez, désormais. A présent, il ne vous reste plus qu'à attendre. Si vous n'avez pas encore eu l'occasion de faire un somme cette nuit, vous avez le temps de dormir un peu, ce qui vous fera gagner 2 points de FORCE. Mais attention : si vous avez déjà dormi précédemment, plus question de vous laisser aller au sommeil ! Vers 4 heures, une lumière s'allume enfin à l'entrée du passage. Des hommes apparaissent et vous les observez, silencieux. Bientôt, le moment sera venu d'agir. Rendez-vous au **35**.

180

— Monsieur de Joubeuf vous attend, annonce le domestique, si Monsieur veut bien me suivre...
Vous vous levez et vous emboîtez le pas du domesti-

que qui vous conduit dans le fond du parc, derrière la maison. Dans une vaste clairière, plusieurs hommes s'affairent autour d'un énorme ballon retenu au sol par des cordages. Apparemment, on est en train de fixer une nacelle à l'aérostat. Un homme d'une cinquantaine d'années vêtu avec une élégance criarde s'avance vers vous, un large sourire aux lèvres.

— De Joubeuf, Archibald, se présente-t-il, que me vaut, Monseigneur, l'insigne honneur d'être ainsi visité impromptu dans ma modeste demeure par quelqu'un qui n'est autre qu'un prince ?

Vous ne pouvez vous empêcher de sourire : M. de Joubeuf prend sans doute ce sot galimatias pour une façon élégante de s'exprimer. L'homme se penche alors sur votre redingote.

— Permettez ? dit-il.

À votre grande stupéfaction, il passe le bout des doigts sur le tissu comme pour en apprécier la qualité.

— Belle étoffe ! remarque-t-il, nous autres, gens bien nés, savons comment nous vêtir, n'est-ce pas, Monseigneur ?

— En effet, répondez-vous en vous retenant à grand-peine de pouffer.

— Ainsi donc, vous vouliez me voir ? reprend le négociant.

— Votre réputation est parvenue jusqu'à Moscou, répondez-vous avec votre accent russe, et, de passage à Paris, il me tardait de faire la connaissance d'un homme aussi éminent que vous.

— Jusqu'à Moscou ? Ah, là, là ! Si je me doutais ! s'exclame M. de Joubeuf visiblement ravi, ah, mais, mon Dieu, c'est là bien trop d'honneur, quoique, bien sûr, le mérite n'a pas de frontière, et je dis cela sans fatuité, croyez-le bien !

— De plus, je m'intéresse grandement aux aérostats, prétendez-vous pour achever de flatter votre interlocuteur.

— Ah, les aérostats ! s'exclame le boutiquier, mais c'est l'avenir, cela, Monseigneur ! Pensez à tout le commerce que l'on pourra faire par la voie des airs ! Il sera possible de vendre et d'acheter partout dans le monde sans avoir besoin de parcourir les mers déchaînées ou les terres hostiles !

Quand il s'agit de parler commerce, le bougre devient lyrique. Mais sa conversation, à dire vrai, vous ennuie passablement et vous préférez vous approcher de son ballon qui vous semble plus digne d'attention. Si, la nuit dernière, vous avez réussi à arracher le masque de votre agresseur, rendez-vous au **22**. Dans le cas contraire, rendez-vous au **229**.

181

Vous tenez à ce que le maître du Masque de Sang reste vivant. Vous voulez en effet obtenir ses aveux et innocenter ainsi Hensock le Follet. Vous avez l'intention de le retenir prisonnier en l'enfermant derrière les mâchoires du lion, puis en détruisant le mécanisme qui permet de les ouvrir. Vous aurez alors le temps d'aller chercher la police — pas le commissaire Du Réner ! — et de lui livrer le coupable. Vous sortez donc du couloir à reculons, vous franchissez la gueule du lion, puis vous tournez les roues dentées pour refermer les mâchoires. Le maître du Masque de Sang, comprenant votre manœuvre, a cependant eu le temps de se ruer en avant, et lorsque les mâchoires se referment, elles se referment sur lui. Il est ainsi coincé entre les dents de pierre et pousse un hurlement.

— Grâce ! gémit-il, grâce ! Pitié ! Sortez-moi d'ici !

181 *Comprenant votre manœuvre, votre
adversaire se rue en avant mais les mâchoires du
lion de pierre se referment sur lui.*

Insensible à ses appels, vous commencez par lui arracher son masque. Vous reconnaissez alors sans grande surprise l'abbé Goulot du Pauillac. Vous vous doutiez en effet que c'était lui, le grand maître. Et puisqu'il se trouve dans cette situation d'infériorité, autant en profiter pour connaître le fin mot de l'affaire.

— Je vous libérerai, lui répondez-vous, lorsque vous aurez répondu à toutes mes questions.

— Grâce ! Je dirai tout ! promet l'ecclésiastique.

— Pourquoi avez-vous fait tuer Thibaud de Ponsac ? demandez-vous.

— Il avait juré de détruire notre organisation. Il essayait d'éveiller la méfiance de Mme de Sainte-Mouffle qui s'est toujours montrée très généreuse pour mes œuvres.

— Vos œuvres, c'est-à-dire le Masque de Sang ? Vous prétendiez avoir besoin d'argent pour vos pauvres, mais vous versiez tout à la confrérie ?

— Oui, reconnaît l'abbé.

— Et la comtesse ? Appartient-elle aussi à votre organisation ?

— Non, mais nous avons des hommes à nous chez elle, parmi ses domestiques.

— Ce qui vous permettait de vous réunir dans sa maison en toute tranquillité ?

— C'est vrai. Elle-même ne croit pas à notre existence et lorsque Thibaud de Ponsac la mettait en garde contre nous, elle s'en amusait. J'avais peur, cependant, qu'il ne finisse par la convaincre.

— Vous avez donc confié à Bastien Frontouillard le soin d'éliminer M. de Ponsac ?

— En effet.

Si vous avez visité la pièce dans laquelle Thibaud de Ponsac a été tué, rendez-vous au **288**. Dans le cas contraire, rendez-vous au **290**.

182

Votre pistolet est chargé et vous avez pris la précaution de le glisser sous votre oreiller. Vous n'avez donc aucune difficulté à vous en saisir et à le pointer sur l'homme qui fait brusquement volte-face en entendant du bruit derrière lui. Il est vêtu d'une cape rouge et son visage est dissimulé par un masque également rouge : c'est sans aucun doute l'individu qui a tenté d'assassiner le baron de la Gaillottière.

— Plus un geste ! ordonnez-vous, que faites-vous ici ? Comment êtes-vous entré ?

L'homme ne répond pas, mais vous voyez ses yeux bouger derrière son masque, comme s'il cherchait un moyen de vous échapper. D'un bond, vous vous levez en continuant de braquer le pistolet sur lui. Vous avez gardé pour dormir les vêtements que vous aviez emportés du Royaume du Temps et vous pouvez donc vous déplacer dans la pièce sans dommage pour votre pudeur. Vous vous approchez de l'homme avec l'intention de lui arracher son masque, mais, alors que vous n'êtes plus qu'à deux pas de lui, il se précipite tout à coup vers le fond de la pièce et disparaît... dans l'armoire ! Rendez-vous au **208**.

183

Cette carte vous est fatale. Vous glissez en effet le long de la corde en direction de la nacelle, mais Bastien Frontouillard vous attend, son épée tendue devant lui et vous vous embrochez sur sa lame. Le coup vous tue net et votre cadavre s'écrase quelques centaines de mètres plus bas. Votre mission s'achève ici.

184

En quelques instants, on vous ligote, on vous bâillonne et on vous jette à terre. L'homme aux sabots a aidé ses compagnons à vous neutraliser mais, alors

qu'il se penche sur vous pour faire semblant de vérifier la solidité de vos liens, il vous chuchote à
l'oreille :

— N'ayez crainte, je reviendrai...

L'homme à la voix solennelle s'approche ensuite de
vous :

— Lorsque le bal sera terminé, dit-il, nous reviendrons régler votre sort. En attendant, confiez votre
âme à Dieu, priez, priez, priez pour qu'il vous
accorde son pardon...

Tout le monde sort alors de la pièce ; vous entendez
une clé tourner dans la serrure puis des pas s'éloigner. Bientôt, c'est le silence. Les torches accrochées
aux murs continuent de brûler, mais elles sont trop
hautes pour que vous puissiez les atteindre et vous
en servir pour consumer vos liens. Vous êtes solide-
ment attachée, la porte est trop massive pour que
vous puissiez espérer l'enfoncer et la lucarne aménagée dans le toit reste hors d'atteinte. On n'a pas
pensé à vous enlever vos armes, mais il vous est
impossible de vous en saisir, vos mains étant liées
derrière le dos. Il ne vous reste plus qu'à attendre.
Vous avez l'espoir que l'homme aux sabots tiendra
sa promesse et viendra vous délivrer. La fatigue,
cependant, vous gagne. Quelques minutes plus tard,
vous sombrez dans un sommeil profond. Dormir
vous fait du bien, vous regagnez 1 point de FORCE.
Soudain, un bruit vous réveille. Vous vous redressez
dans un sursaut, l'œil et l'oreille aux aguets. Quelqu'un descend dans la pièce par la lucarne : c'est
l'homme aux sabots. Il porte toujours son masque,
mais il s'est débarrassé de sa redingote. Il se précipite aussitôt sur vous et tranche vos liens à l'aide de
l'épée qu'il porte au côté. Lorsque vous avez enfin
retrouvé votre liberté de mouvements, l'homme,
sans un mot, relève son masque. Vous restez alors

bouche bée en reconnaissant... votre frère ! Eh oui, votre frère, visiblement réjoui de vous voir ainsi stupéfaite.

— Mais... Comment se fait-il ? balbutiez-vous, l'homme aux sabots...

— Oui, c'est ce que j'ai trouvé de mieux pour protéger mes souliers de la boue parisienne. Aide-moi donc à pousser cette table sous la lucarne.

Encore sous le choc, vous obéissez.

— Et débarrasse-toi de cette robe, nous allons devoir nous livrer à quelques acrobaties et ce n'est pas le genre de vêtement qui convient à la haute voltige.

Si vous souhaitez vous défaire de votre robe, vous pouvez la laissez là, ainsi que votre perruque. Si vous préférez rester vêtue comme vous l'êtes, libre à vous.

Vous montez tous deux sur la table, puis vous passez l'un derrière l'autre par la lucarne pour vous retrouver sur le toit.

— Il faut faire vite, dit votre frère, le bal va bientôt finir et on s'apercevra de ta disparition. En passant par les toits, nous parviendrons à atteindre une autre fenêtre et à sortir par les communs.

Votre frère a pris la précaution d'emporter l'une des torches fixées aux murs afin d'éclairer votre chemin, car la nuit est noire et sans lune. Vous avancez prudemment sur le toit en suivant le Prince du Temps qui s'approche d'une haute fenêtre.

— C'est par là qu'il faut passer, chuchote-t-il, mais ce ne sera pas facile.

Avec une remarquable souplesse, il s'accroche alors à une sculpture représentant une tête d'animal, qui orne l'encadrement de la fenêtre. Il se laisse ensuite tomber sur le rebord et parvient à repousser l'un des vantaux de la croisée. A vous maintenant d'en faire autant. Vous posez sur la gouttière la torche enflammée que votre frère vous a confiée et vous vous accrochez à votre tour à la sculpture. Si vous avez ôté votre robe, rendez-vous au **225**. Dans le cas contraire, rendez-vous au **13**.

185

Éloi de Courtemare n'a sans doute pas peur du ridicule. Avec ses sabots au pied, il offre, à la vérité, une image singulièrement risible. On le regarde d'ailleurs passer avec des sourires dont il semble se soucier comme d'une guigne. M. de Courtemare suit la rue de l'Université, puis il tourne à gauche, dans la rue du Bac. Vous continuez de marcher à bonne distance derrière lui, mais il a soudain accéléré le pas. S'est-il aperçu de votre présence ? En tout cas, il marche de plus en plus rapidement et vous avez du mal à ne pas le perdre de vue. Dans votre hâte, vous bousculez par inadvertance un marchand de poissons ambulant et l'homme tombe par terre avec ses maquereaux, ses harengs et ses ablettes.

— Mes poissons ! s'exclame l'homme. Maugrébleu ! Mes beaux poissons ! Ah, c'est qu'il va falloir me les payer, mon bourgeois ! Ton épée ne me fait pas peur, ventrechou ! Ah, on bouscule un malheureux qui n'a que ses poissons pour vivre ! Prépare ta bourse, mille diacres !

Les cris de l'homme ont attiré des badauds qui forment un cercle autour de vous. Il n'est plus question de poursuivre votre chemin ; d'ailleurs, M. de Courtemare a disparu dans une rue adjacente. Vous voilà en tout cas avec des ennuis en perspective.

— Je veux 3 écus pour mes poissons, entends-tu, l'ami ? dit le marchand.

Si vous acceptez de lui donner les 3 écus, rendez-vous au **75**. Si vous refusez, rendez-vous au **52**.

— Monsieur est dans le parc, je vais voir s'il peut vous accorder une audience, répond le domestique.

« Vous accorder une audience ! » La formule correspond bien à la prétention qui caractérise cette demeure ! Ainsi donc, Monsieur Joudebeuf, dit « de Joubeuf », ne reçoit pas de visites, il « accorde des audiences ! » Ah, le piètre boutiquier !

Le domestique vous fait asseoir dans un petit salon pendant qu'il va avertir « Monsieur » et vous allez pouvoir mettre à profit ces quelques minutes de solitude pour jeter un coup d'œil autour de vous, si toutefois tel est votre désir. Tout comme le reste de la maison, cette pièce est encombrée de meubles et d'objets qui rivalisent de mauvais goût. Une commode à tiroirs installée dans un coin vous semble cependant intéressante. Il y a également une bibliothèque, près de la fenêtre, que vous aurez peut-être envie d'inspecter. Enfin, une autre porte que celle par laquelle le domestique vous a fait entrer est aménagée dans le mur en face de vous.

Si vous souhaitez ouvrir les tiroirs de la commode, rendez-vous au **214**. Si vous préférez vous intéresser à la bibliothèque, rendez-vous au **19**. Enfin, s'il vous semble plus judicieux d'aller ouvrir la porte en face de vous, rendez-vous au **32**. Bien entendu, vous pouvez également ne rien faire de tout cela et attendre sagement le retour du domestique. Rendez-vous dans ce cas au **130**.

— Quatre louis ? dit l'homme avec un sourire. Pour ce prix-là, le cheval est à toi. Mais montre-moi d'abord les pièces.

Vous les lui donnez et ses mains se referment sur l'or comme les serres d'un rapace.

— Tu as fait une affaire, lance-t-il, c'est une bonne bête qui te mènera loin. Mais au fait, où vas-tu ainsi ? Tu n'es pas de Paris, on dirait ?

Rendez-vous au **176** pour répondre à sa question.

188

Il y a foule dans le grand salon de Mme de Sainte-Mouffle et votre arrivée ne passe pas inaperçue. Les hommes, en effet, tournent vers vous des regards appréciateurs tandis que les femmes vous considèrent d'un œil critique. Les tenues les plus diverses se côtoient et les conversations se mêlent en un brouhaha ponctué d'éclats de rire essentiellement féminins. Des musiciens installés sur une estrade jouent quelques airs en sourdine et l'on sert aux diverses tables réparties dans la pièce des rafraîchissements et des friandises. Vous remarquez bientôt qu'une demi-douzaine d'invités portent des masques rouges. Des masques qui évoquent irrésistiblement le « masque de sang » que vous connaissez déjà. Simple coïncidence ? Pour le savoir, rendez-vous au **263**.

189

Frontouillard est habile : il a réussi à accrocher la toile de votre ballon et à la déchirer sur une bonne longueur. L'aérostat perd rapidement de l'altitude, la corde se tend entre les deux ballons et il vous faut agir très vite. La seule solution consiste à vous agripper à la corde ainsi tendue pour essayer de rejoindre la nacelle du domestique. Vous empoignez donc la corde en priant pour que tout se passe bien. Rendez-vous au **233**.

Un point de l'enquête que vous menez est désormais éclairci : vous savez à présent comment il a été possible de déposer sous le lit de la chambre 4 l'arme qui a servi à tuer Thibaud de Ponsac. Hensock le Follet avait verrouillé porte et fenêtre, mais il ignorait bien entendu le passage secret communiquant avec la cave. C'est par là qu'est passé celui qui a fait le coup. Il vous faut en avertir le commissaire Du Réner au plus tôt. En attendant, vous inspectez la cave et vous découvrez à votre grande stupéfaction qu'elle sert de dépôt d'armes ! Il y a là des fusils, des aquebuses, des pistolets, des épées et même de petits canons montés sur roues. Des caisses de poudre et de munitions sont également empilées le long d'un mur. Ainsi donc, cette paisible auberge abrite un véritable arsenal. A qui ou à quoi est-il destiné ? A la confrérie du Masque de Sang ? C'est probable. Il est décidément urgent de vous précipiter au Châtelet dès la première heure afin de prévenir le commissaire Du Réner. Le passage secret, ce dépôt d'armes, voilà qui devrait le faire réfléchir. C'est là une première preuve que Hensock le Follet a été victime d'un coup monté. Dans l'immédiat, vous vous hâtez de vous rhabiller, puis vous sortez de la cave en emportant toutes vos affaires. Il s'agit en effet de ne pas traîner plus longtemps dans cette auberge. Vous avez ouvert la porte par laquelle l'homme en rouge s'est enfui et vous vous retrouvez au pied d'un escalier extérieur qui aboutit rue des Nonaindières, de l'autre côté de la maison. Fort heureusement, vous n'avez aucun mal à accéder aux écuries où dort votre cheval et vous le réveillez pour repartir au plus vite. Où se cache l'homme en rouge ? Vous guette-t-il dans l'ombre ? C'est ce que vous ne tarderez pas à savoir en vous rendant au **224**.

Comme prévu, vous trouvez au fond de la nacelle une énorme bombe : la machine infernale que Frontouillard devait jeter sur le peuple de Paris descendu dans la rue pour protester contre le renvoi de Necker.

— Mon Dieu ! C'est horrible ! s'exclame M. de Joubeuf en contemplant l'enfin explosif. Je vais immédiatement la faire désamorcer.

Il glisse son pistolet dans sa poche et s'appuie contre la nacelle, comme s'il allait se trouver mal.

— Bastien, le brave Bastien qui avait toute ma confiance... soupire-t-il. Et mon vol, mon beau vol dans le ciel de Paris, je ne puis plus le faire à présent. Ah, Monseigneur ! Comme le sort est cruel, parfois ! Vous estimez qu'il vaut mieux laisser M. de Joubeuf à ses lamentations et vous occuper de poursuivre votre mission. La mort de Bastien Frontouillard ne vous arrange guère : il aurait mieux valu, en effet, pouvoir le livrer à la police et le faire avouer. C'était le meilleur moyen d'innocenter Hensock le Follet. Maintenant, il s'agit de retrouver la piste du Masque de Sang. Mais pour commencer, vous décidez d'aller raconter tout ce qui s'est passé depuis la nuit dernière à M. de Courtemare. Il faut d'urgence le mettre en garde contre les projets d'assassinat dont vous avez eu connaissance. Vous remontez donc sur votre cheval et vous vous rendez au **255**.

192

Si vous aviez déjà rendu visite à Eloi de Courtemare juste avant d'aller chez M. de Joubeuf, rendez-vous au **216**. Sinon, rendez-vous au **265**.

193

Si vous êtes habillée en femme, rendez-vous au **25**. Si vous êtes habillée en homme, rendez-vous au **90**.

Cette cape est sans nul doute celle que portait l'homme qui a tenté d'assassiner Robert de la Gaillottière, ce même homme avec qui vous avez eu maille à partir la nuit précédente. Et ces masques rouges, ces « masques de sang », c'est derrière eux que le criminel dissimule son visage. L'homme se cache donc dans cette maison. Est-ce également lui qui a assassiné Thibaud de Ponsac ? On peut raisonnablement le penser. Vous venez de faire une découverte très importante mais il est temps à présent de revenir dans le petit salon.

Si vous le jugez utile, vous pouvez prendre l'un de ces masques. Vous retournez ensuite vous asseoir. Un instant plus tard, vous entendez des pas qui se rapprochent : le domestique revient vous chercher. Rendez-vous au **130**.

Bastien Frontouillard a été déséquilibré par le projectile qu'il a reçu. Il rate alors son coup : le grappin, au lieu de déchirer la toile de votre ballon, s'accroche dans les cordages. Vous êtes ainsi liés l'un à l'autre. Vous allez devoir à présent livrer un combat à mort au pistolet. Calculez la gravité de la blessure que vous avez infligée à votre adversaire en lui tirant dessus une première fois, puis diminuez ses points en conséquence. Reportez-vous aux règles habituelles pour la suite du combat, en fonction du type de pistolet dont vous disposez.

BASTIEN
FRONTOUILLARD   MAÎTRISE : 18   FORCE : 20

Si vous remportez la victoire, rendez-vous au **250**.

Par chance, votre épée se trouve de l'autre côté du lit par rapport à la position de l'homme en rouge et vous parvenez tant bien que mal à vous en saisir. Concentrant toutes vos forces, vous vous levez et vous brandissez votre arme. De sa main gauche, l'individu à la cape rouge dégaine aussitôt sa propre épée et s'avance sur vous. Vous aviez gardé, pour dormir, les vêtements que vous portiez au Royaume du Temps et vous pouvez donc vous déplacer dans la pièce sans dommage pour votre pudeur. Il va falloir vous battre, à présent, sans oublier de réduire votre total de MAÎTRISE et de FORCE du nombre de points indiqué précédemment.

**HOMME
AU MASQUE
DE SANG**   MAÎTRISE : 18   FORCE : 20

Vous devrez obligatoirement infliger 3 blessures à l'homme en rouge, pas une de plus, pas une de moins. Peu importe le nombre d'Assauts qu'il vous faudra livrer pour parvenir à ce résultat. Si vous réussissez à le blesser par trois fois, rendez-vous au **76**. A l'issue de cet affrontement, vous retrouverez vos points de MAÎTRISE habituels et vous rajouterez à votre total de FORCE les 3 points que les champignons vénéneux vous avaient fait perdre.

Vous avez évité de justesse que les tonneaux ne tombent sur la chaussée, coupant ainsi la route au carrosse de M. de Joubeuf. Le cocher, lui, n'a rien vu. Le carrosse est passé en trombe tandis que l'homme au levier s'enfuyait, son coup raté. Vous faites alors demi-tour sans vous préoccuper des exclamations diverses qui s'élèvent ici et là en réaction à la séance de tir au pistolet qui vient d'avoir lieu. Vous vous lancez à la poursuite du carrosse que vous rattrapez bientôt. Vous maintenant à la hauteur de la portière, vous essayez d'attirer l'attention de M. de Joubeuf qui finit par mettre son nez à la fenêtre. Si M. de Joubeuf vous connaît, rendez-vous au **257**. S'il ne vous connaît pas, rendez-vous au **264**.

198
Si vous êtes le Prince du Temps, rendez-vous au **101**.
Si vous êtes la Princesse du Temps, rendez-vous au **48**.

199
Si vous souhaitez vous habiller en homme pour aller chez Mme de Sainte-Mouffle, rendez-vous au **254**.
Vous pouvez également choisir de vous habiller en femme, si toutefois vous possédez déjà une robe de satin ornée de dentelles ainsi qu'une perruque. Au cours de la soirée, vous porterez un masque qui garantira votre anonymat ; par conséquent, Clotilde de Sainte-Mouffle ignorera que vous êtes la même personne qui est venue lui rendre visite hier dans des vêtements d'homme. Avant de vous décider, souvenez-vous de ce que vous avez fait dans la journée et choisissez votre costume avec prudence... Si vous souhaitez vous habiller en femme, rendez-vous au **238**.

200
Le destin vous aide en vous faisant tirer cette carte. Vous glissez en effet le long de la corde en direction de la nacelle avec une telle rapidité que Frontouillard, pris au dépourvu, tombe en arrière et s'embroche sur son épée. Il n'est pas mort, mais sa blessure

est si douloureuse qu'il perd la moitié de ses points de FORCE ainsi que 3 points de MAÎTRISE. Vous diminuerez donc en conséquence sa FORCE et sa MAÎTRISE en allant le combattre au **259**.

201

Vous vous hâtez le long de la rue du Bac en espérant trouver un fiacre, ce qui ne sera pas facile à cette heure-ci. Un instant plus tard, les pas d'un cheval retentissent derrière vous. Impossible de vous enfuir, il vaut mieux affronter celui qui vous suit. Vous faites donc volte-face et vous voyez venir vers vous... l'homme aux sabots !

— Alors, mignonne, on se promène ? dit-il.

Cette voix ! Vous l'avez aussitôt reconnue ! C'est celle... de votre frère ! Celui-ci relève son masque : c'est bien·lui !

— Que... Qu'est-ce que... ? balbutiez-vous.

— Allons, remets-toi ! s'exclame le Prince du Temps en éclatant de rire.

— Ainsi, l'homme aux sabots...

— Oui, c'est ce que j'ai trouvé de mieux pour protéger mes souliers de la boue parisienne.

— Et comment m'as-tu reconnue ?

— Ce n'est pas si difficile, les aristocrates russes, cela se repère au premier coup d'œil. Allez, monte sur mon cheval.

Votre frère vous prend en croupe et vous vous éloignez tous deux en direction de la Seine.

— N'as-tu pas une tenue plus pratique ? Là où j'ai l'intention de t'emmener, il vaut mieux porter d'autres vêtements.

Vous retournez donc place Dauphine où vous vous changez pour mettre votre redingote. A nouveau habillée en homme, vous repartez avec votre frère, sur votre propre cheval, cette fois.

— Et maintenant, pourrais-tu m'expliquer comment il se fait que tu appartiennes à la confrérie du Masque de Sang ? demandez-vous au Prince du Temps.

Rendez-vous au **65** pour entendre sa réponse.

202

— Tu ne veux pas parier ? Tant pis pour toi, dit l'homme avec mépris.

Il se détourne et vous reportez votre attention sur le combat qui commence peu après. C'est un spectacle sanglant et féroce qui a tôt fait de vous écœurer et vous préférez partir avant la fin. Lorsque vous remontez sur votre cheval, cependant, vous apercevez qu'on vous a volé votre bourse. A n'en pas douter, le coupable est l'homme qui voulait vous faire parier. Malheureusement, vous ne parvenez pas à le retrouver et vous n'avez plus qu'à dire adieu à vos louis d'or. Voilà bien les Parisiens : ils n'ont pas leur pareil pour voler les étrangers. Vous êtes à présent d'une humeur massacrante — on le serait à moins — et vous vous hâtez de quitter les lieux en maugréant contre l'exécrable fripon. Rendez-vous au **141** pour continuer votre chemin.

203

— Monsieur de Joubeuf vous attend, annonce le domestique, si Madame veut bien me suivre...

Vous vous levez et vous emboîtez le pas du domestique qui vous conduit dans le fond du parc, derrière la maison. Dans une vaste clairière, plusieurs hommes s'affairent autour d'un énorme ballon retenu au sol par des cordages. Apparemment, on est en train de fixer une nacelle à l'aérostat. Un homme d'une cinquantaine d'années vêtu avec une élégance

criarde s'avance vers vous, un large sourire aux
lèvres.

— De Joubeuf, Archibald, se présente-t-il en saisis-
sant votre main qu'il embrasse goulûment. Que me
vaut, Altesse, l'insigne honneur d'être ainsi visité
impromptu dans ma modeste demeure par une
femme aussi pleine de beauté et qui n'est autre
qu'une princesse ?

Vous ne pouvez vous empêcher de sourire : M. de
Joubeuf prend sans doute ce sot galimatias pour une
façon élégante de s'exprimer. L'homme se penche
alors sur le décolleté de votre robe comme un joail-
lier examinant une pierre précieuse.

— Quelle robe somptueuse ! remarque-t-il, il faudra
que j'achète la même à ma femme, mais je ne sais pas
si elle la portera aussi bien que vous !

Il conclut cette phrase par un rire sonore qui en dit
long sur la vulgarité du personnage.

— Ainsi donc, vous vouliez me voir ? reprend le ·
négociant.

— Votre réputation est parvenue jusqu'à Moscou,
répondez-vous avec votre plus bel accent russe, et,
de passage à Paris, il me tardait de faire la connaissance d'un homme aussi éminent que vous.

— Jusqu'à Moscou ? Ah, là, là ! Si je me doutais !
s'exclame M. de Joubeuf, visiblement ravi, ah, mais
mon Dieu, c'est là bien trop d'honneur, quoique,
bien sûr, le mérite n'a pas de frontière, et je dis cela
sans fatuité, croyez-le bien !

— Mais dites-moi donc, Monsieur, qu'est-ce que ce
gros ballon que vous avez là ? demandez-vous d'un
air ingénu, comme il sied à une femme qui n'est pas
censée comprendre quoi que ce soit à la technique.

A nouveau, M. de Joubeuf éclate d'un rire sonore.

— Ceci est un aérostat, annonce-t-il fièrement,
grâce à ce ballon, voyez-vous, l'homme peut s'élever

dans les airs et franchir de grandes distances en toute tranquillité, sans s'occuper des obstacles qui surgissent si souvent sur les voies terrestres ou maritimes. L'aérostat, Altesse, c'est l'avenir du commerce ! Grâce à lui, il sera possible de vendre et d'acheter partout dans le monde sans avoir besoin de parcourir les mers déchaînées ou les terres hostiles !

Quand il s'agit de parler commerce, le bougre devient lyrique. Mais sa conversation, à dire vrai, vous ennuie passablement et vous préférez vous approcher de son ballon qui vous semble plus digne d'attention. Si, la nuit dernière, vous avez réussi à arracher le masque de votre agresseur, rendez-vous au **91**. Dans le cas contraire, rendez-vous au **261**.

204

Si vous souhaitez engager quelques frais dans des vêtements plus à la mode que les vôtres, vous pouvez vous rendre chez les sœurs Bouchebet qui tiennent une boutique où vous trouverez notamment, pour la somme de 10 louis, une redingote de satin à parements dorés du plus bel effet. Vous pourrez également, si tel est votre désir, vous offrir des garnitures de dentelle pour 1 louis et des souliers vernis pour 2 louis. Si vous décidez de faire ces achats, payez-en le prix, puis rendez-vous au **148**. Si vous préférez conserver les vêtements que vous portez, rendez-vous au **170**.

205

Cette carte ne vous est pas très favorable, mais elle n'est pas fatale. Vous avez reculé un peu trop tard. Le soleil contenait en fait une petite bombe qui a complètement détruit la porte. Vous avez reçu quelques éclats qui vous font perdre 2 points de FORCE, mais heureusement, vous avez eu le temps de vous plaquer contre le mur et votre présence n'a donc pas été remarquée. Rendez-vous au **286**.

206

— De votre tenue... dit timidement Timothée, les Parisiens attachent une grande importance à la mise et je crains que vêtu ainsi... vous n'attiriez des moqueries... De plus, vous portez une épée au côté, ce qui est généralement réservé à la noblesse, aux militaires ou aux aventuriers... Or, vos vêtements n'indiquent aucun de ces états...

— Comment dois-je m'habiller ? Où trouver un costume ? demandez-vous.

Timothée Lestingois réfléchit un instant.

— En attendant mieux, je puis vous en fournir un... Venez, et toi aussi Blandine, il y aura peut-être quelques travaux de couture à faire.

Vous remontez tous trois de la cave et vous suivez vos hôtes dans leurs appartements privés. Une demi-heure plus tard, vous êtes vêtu d'une redingote, d'une culotte et de bas, vous portez perruque en catogan et vous êtes coiffé d'un tricorne.

— C'est mon plus bel habit, dit Timothée en vous considérant d'un œil appréciateur, et je dois confesser que vous le portez mieux que moi ! Vous passerez ainsi inaperçu dans la foule des Parisiens, et vous ne ferez pas trop mauvais effet dans les salons. Autre chose, à présent : savez-vous où loger ?

— Non, mais vous m'avez parlé de l'auberge où mon parent était descendu.

— L'auberge du Pont-Marie ? L'endroit est plaisant et bon marché mais... Mieux vaut ne pas faire état de votre lien de parenté avec Hensock. Vous risqueriez d'y être mal accueilli...

— Savez-vous quelle chambre il occupait ?

— Non. Cela a-t-il de l'importance ?

— Qui sait ? Il ne faut rien négliger, la vie de Hensock en dépend.

— Croyez-vous qu'il soit encore possible de faire quelque chose pour le sauver ? demande Timothée plein d'espoir.

— J'en suis convaincu, assurez-vous. J'y consacrerai en tout cas mes forces et mon temps. Je vous remercie pour votre aide, Timothée, et vous aussi, madame...

— Attendez, je dois encore vous donner quelque chose, dit Timothée Lestingois. Hensock le Follet m'avait laissé une certaine somme d'argent en dépôt, ne voulant pas la porter sur lui et risquer qu'on la lui dérobe. Puisque vous êtes de sa famille, il me semble naturel de vous remettre cet argent.

Timothée sort alors d'un placard une bourse qui contient 25 louis d'or et 20 écus et vous la donne ; ce capital vous sera précieux, sachez en faire bon usage et surtout, tenez vos comptes avec précision, car les occasions de gagner de l'argent seront rares, et vos dépenses multiples. N'oubliez pas que la vie est chère, à Paris...

— Il me reste à vous souhaiter bonne chance, monsieur... Monsieur... Heu... Pardonnez-moi, je crains d'avoir mal saisi votre nom...

— Aubépin, répondez-vous tout naturellement.

C'est le nom que vous vous étiez donné lors de votre première mission sur Terre, autant le conserver...

— Aubépin ?... Tout court ? s'étonne Timothée.

— Aubépin... Heu... Lefollet, précisez-vous après un bref instant d'hésitation.

Puisque vous avez prétendu être un parent de Hensock, pourquoi ne pas transformer son surnom en nom de famille ? C'est un patronyme quelque peu difficile à porter, certes, mais après tout, la difficulté ne vous fait pas peur !

— Oui, bien sûr, j'aurais dû m'en douter, dit Timothée. Eh bien, je le répète, bonne chance, que Dieu vous garde et puissiez-vous rétablir la justice en cette lamentable affaire.

Vous prenez alors congé de Timothée et de Blandine Lestingois après les avoir chaleureusement remerciés de leur aide. Vous pouvez même, à titre de dédommagement pour le costume, leur laisser 2 louis d'or, maintenant que vous êtes riche. Vous êtes libre de le faire ou pas, agissez selon votre conscience. Lorsque vous aurez quitté les lieux, vous remonterez sur votre cheval et vous vous rendrez au **78**.

207

Vous galopez à bride abattue jusqu'au Champ-de-Mars. Lorsque vous arrivez là-bas, il est un peu plus de 8 heures et vous voyez aussitôt un ballon muni d'une nacelle s'élever dans le ciel. Trop tard ! Non ! Car un deuxième aérostat est encore attaché au sol. Sans doute M. de Joubeuf avait-il prévu un autre ballon au cas où le premier n'aurait pas bien fonctionné. Vous vous précipitez vers ce deuxième aérostat, fendant la foule compacte qui s'est massée sur les lieux pour assister au vol. Vous n'avez aucun mal à grimper dans la nacelle bien que votre apparition provoque un certain émoi alentour. On vous demande qui vous êtes et ce que vous voulez, mais vous n'avez pas le temps de répondre. D'un coup d'épée, vous tranchez la corde qui retient le ballon au sol et vous vous élevez à votre tour dans les airs.

Vous n'avez jamais piloté ce genre d'engin, mais après tout, c'est au vent de faire le plus gros du travail. Un vent qui vous est d'ailleurs favorable, car il rapproche votre aérostat de celui qui était déjà dans le ciel. Bientôt, les deux ballons sont tout près l'un de l'autre et vous parvenez à distinguer les traits de l'homme qui se trouve dans la nacelle. Si vous connaissez l'identité de l'homme au masque rouge qui s'est introduit dans votre chambre de l'auberge du Pont-Marie, rendez-vous au **218**. Dans le cas contraire, rendez-vous au **219**.

208

Vous restez un instant immobile sans en croire vos yeux, puis vous vous ruez à la poursuite de l'homme en rouge. Il ne vous faut pas longtemps pour comprendre ce qui s'est passé : l'armoire, collée contre le mur, cache en fait un panneau coulissant qui ouvre sur un escalier. L'homme en dévale les marches quatre à quatre et vous vous enfoncez à votre tour dans ces profondeurs inconnues. L'escalier mène à une vaste cave dans laquelle se consume une chandelle. Lorsque vous arrivez au bas des marches, une mauvaise surprise vous attend : l'homme en rouge vous fait face, en effet, tenant fermement dans sa main gauche un pistolet qu'il pointe sur vous. Voici donc venue l'heure de livrer votre premier duel au pistolet. N'oubliez pas, avant de tirer, de calculer votre rapidité, selon les indications qui vous ont été données par Gayok le Preux avant votre départ. Vous ne mènerez qu'*un seul* Assaut.

HOMME
AU MASQUE
DE SANG   MAÎTRISE : 18   FORCE : 20

Si vous recevez une blessure, rendez-vous au **217**. Si c'est votre adversaire qui est blessé, rendez-vous au **30**. Si vous êtes à égalité, cela signifiera qu'aucun coup de feu n'est parti. Tirez à nouveau jusqu'à ce que l'un des deux soit blessé.

209

Il est trop tard pour tirer un nouveau coup de feu. Bastien Frontouillard est habile : il a réussi à accrocher la toile de votre ballon et à la déchirer sur une bonne longueur. L'aérostat perd rapidement de l'altitude, la corde se tend entre les deux ballons et il vous faut agir très vite. La seule solution consiste à vous agripper à la corde ainsi tendue pour essayer de rejoindre la nacelle du domestique. Vous empoignez donc la corde en priant pour que tout se passe bien. Rendez-vous au **233**.

210

Si vous êtes habillée en femme, rendez-vous au **203**.
Si vous êtes habillée en homme, rendez-vous au **220**.

211

Dormir vous fait du bien, vous regagnez 1 point de FORCE. Mais un bruit vous réveille tandis qu'un songe vous transportait dans la douceur tiède et paisible du Royaume du Temps, au bord du lac aux Sept Clartés. Vous vous redressez dans un sursaut, l'œil et l'oreille aux aguets. Quelqu'un descend dans la pièce par la lucarne : c'est l'homme aux sabots. Il porte toujours son masque, mais il s'est débarrassé de sa redingote. Il se précipite aussitôt sur vous et tranche vos liens à l'aide de l'épée qu'il porte au côté. Lorsque vous avez enfin retrouvé votre liberté de mouvements, l'homme, sans un mot, relève son masque. Vous restez alors bouche bée en reconnaissant...
Si vous êtes le Prince du Temps, rendez-vous au **223**.

Si vous êtes la Princesse du Temps, rendez-vous au **222**.

212

— Deux louis ? Tu veux me donner 2 louis pour mon cheval ? dit l'homme. Tu crois donc que je te laisserai partir avec une bête de cette qualité pour 2 louis seulement ? Il faudra faire un petit effort si tu veux t'installer sur ma monture.

Si vous estimez judicieux de faire cet effort, vous pourrez proposer à cet homme de lui payer son cheval 3 louis en vous rendant au **150**, 4 louis en vous rendant au **187**, ou 5 louis en vous rendant au **121**. Si vous pensez que ces sommes sont trop élevées, vous pouvez essayer de voler le cheval en vous rendant au **84**.

213

Vous remontez sur votre cheval et vous vous éloignez à bonne allure de l'hôtel de la comtesse. Un instant plus tard, vous vous apercevez que vous êtes suivie. Vous êtes même bientôt rattrapée par un homme à cheval. Et cet homme, c'est... l'homme aux sabots. Il a toujours son masque et vient se placer à votre gauche.

— Alors, mignonne, on se promène ? dit-il.

Cette voix ! Vous l'avez aussitôt reconnue ! C'est celle... de votre frère ! Celui-ci relève son masque : c'est bien lui !

— Que... Qu'est-ce que... ? balbutiez-vous.

— Allons, remets-toi ! s'exclame le Prince du Temps en éclatant de rire.

— Ainsi, l'homme aux sabots...

— Oui, c'est ce que j'ai trouvé de mieux pour protéger mes souliers de la boue parisienne.

— Et comment m'as-tu reconnue ?

— Ce n'est pas si difficile, un prince russe, cela se repère au premier coup d'œil. J'ai pensé que tu serais intéressée par la réunion du Masque de Sang et je t'y ai donc invitée.

— Et comment se fait-il que tu appartiennes à cette confrérie ? vous étonnez-vous.

Vous entendrez sa réponse en vous rendant au **65**.

214

Les tiroirs sont remplis de papiers qui n'ont rigoureusement pas le moindre intérêt. Vous avez beau fouiller dans les moindres recoins, vous ne découvrez rien qui soit digne d'attention. Vous refermez donc les tiroirs en espérant trouver quelque chose dans la bibliothèque ou derrière la porte mais, à ce moment, vous entendez des pas qui se rapprochent. Le domestique est de retour et il ne vous reste plus qu'à vous asseoir en attendant qu'il vienne vous chercher. Rendez-vous au **130**.

215

Une autre porte est aménagée au fond de la sacristie. Vous parvenez à l'ouvrir sans difficulté et vous vous retrouvez alors dans un escalier sombre qui s'enfonce profondément sous terre. Après avoir descendu plusieurs dizaines de marches, vous arrivez dans un couloir aux murs de pierre brute. Par endroits, des lampes à huile sont fixées aux parois, diffusant une faible lumière. Votre apparition fait fuir quelques rats qui s'étaient rassemblés au milieu du passage. Vous progressez ainsi sur une bonne distance, puis vous arrivez devant une étrange sculpture : il s'agit d'une tête de lion d'au moins dix pieds de haut dont les mâchoires portent d'énormes dents de pierre pointues. Entre ces dents serrées filtre une lumière. On dirait que cette tête constitue l'entrée d'un passage. Les mâchoires du lion sont sans doute articulées et doivent s'ouvrir pour donner accès à un autre couloir. Comment actionner le mécanisme qui commande ces mâchoires ? Vous l'ignorez, mais vous ne tardez pas à remarquer, à côté de la tête, trois roues dentées qui portent chacune, gravés sur leur pourtour, les chiffres de 0 à 9. Ces roues se chevauchent de telle sorte qu'elles forment à leur intersection un nombre de trois chiffres. Tout devient clair, à présent : il faut connaître le code qui permet d'entrer. Il suffit alors de tourner les roues de manière que ce nombre apparaisse, déclenchant ainsi le mécanisme d'ouverture de la gueule du lion. Reste à découvrir ce nombre. Réfléchissez bien. La solution est simple et elle vous mènera au Masque de Sang...

Rendez-vous au numéro correspondant au nombre qui, en toute logique, doit permettre d'écarter les mâchoires du lion.

216

M. de Courtemare est encore chez lui et votre réapparition l'intrigue.

— Que s'est-il donc passé ? demande-t-il après vous avoir fait asseoir, êtes-vous allé chez Joubeuf ?

— Oui, et j'y ai découvert la preuve que l'homme au masque de sang réside là-bas.

— Quoi ?

Vous lui racontez comment vous avez trouvé la cape et les masques rouges. Si vous avez pris l'un de ces masques, vous pouvez le lui montrer.

— Mais c'est tout à fait extraordinaire ! s'exclame M. de Courtemare. Il faut à tout prix identifier cet homme !

— Je compte m'y employer, assurez-vous. En attendant, je dois retourner à l'auberge du Pont-Marie où le commissaire Du Réner m'attend. Ensuite, je me rendrai au bal masqué que donne ce soir Mme de Sainte-Mouffle. Avez-vous également été invité ?

— Oui, mais ces réjouissances m'ennuient, je n'irai pas.

Vous quittez alors M. de Courtemare qui sort en même temps que vous après avoir chaussé les sabots qu'il affectionne tant. Peut-être auriez-vous envie de le suivre pour savoir où il va ainsi ? Vous n'en avez malheureusement pas le temps, car l'heure est venue de vous rendre au **241** pour retrouver le commissaire Du Réner.

217

Sous l'effet de la douleur, vous lâchez votre pistolet et l'homme s'apprête à recharger son arme pour tirer une deuxième fois. Mais à ce moment, la chandelle, dont la flamme éclaire faiblement la cave, s'éteint. L'homme en rouge préfère alors prendre la fuite plutôt que de se risquer à un combat incertain dans l'obscurité. Vous entendez une porte claquer et des pas s'éloigner. Inutile de poursuivre votre adversaire, vous ne parviendriez pas à le rattraper. Vous préférez donc remonter l'escalier jusqu'à la chambre où vous prenez votre lampe ; vous redescendez ensuite pour examiner la cave. Rendez-vous au **190**.

218

Comme vous pouviez vous en douter, c'est Bastien Frontouillard qui a pris place dans la nacelle de l'aérostat.

— Maudit sois-tu ! s'exclame-t-il en vous reconnaissant. Tu as donc réussi à venir me chercher jusqu'ici ! Mais tu vas en redescendre très vite !

Par un caprice des vents, votre ballon est légèrement plus haut que celui de Frontouillard. Le domestique

218 *Frontouillard lance en l'air l'ancre de son aérostat ; il cherche à crever votre ballon à l'aide des pointes du grappin !*

lance alors en l'air l'ancre de son aérostat ; sa manœuvre est claire : il cherche à crever votre ballon à l'aide des pointes du grappin.

Si vous possédez un pistolet, rendez-vous au **174**. Si vous n'avez que votre épée, rendez-vous au **189**.

219

Lorsque vous reconnaissez l'homme qui pilote l'aérostat, vous n'en croyez pas vos yeux : c'est Bastien Frontouillard, le domestique qui a assisté à l'assassinat de Thibaud de Ponsac !

— Mais... Que ?... balbutiez-vous, incrédule.

— Eh oui, triste imbécile, c'est moi ! Dommage que je n'aie pas réussi à te tuer l'autre nuit.

— L'homme au masque rouge ! vous écriez-vous.

— En effet, mais tu n'auras jamais l'occasion de me dénoncer !

En un instant, tout devient alors clair dans votre esprit : c'est certainement Bastien Frontouillard lui-même qui a tué M. de Ponsac. Tout comme il a tenté d'assassiner le baron de la Gaillottière. Bastien Frontouillard n'a jamais vu un homme au masque noir poignarder son ancien maître ; c'est lui, le meurtrier, lui qui a saisi une dague accrochée au mur pour en frapper le malheureux Thibaud. Et c'est lui qui devrait se trouver en prison à la place de Hensock le Follet.

— Tu as réussi à venir me chercher jusqu'ici ! s'écrie Frontouillard, mais tu vas en redescendre très vite ! Par un caprice des vents, votre ballon est légèrement plus haut que celui de Bastien Frontouillard. Le domestique lance alors en l'air l'ancre de son aérostat. Sa manœuvre est claire : il cherche à crever votre ballon à l'aide des pointes du grappin. Votre stupéfaction a été si grande que vous ne réagissez pas avec suffisamment de vivacité. Rendez-vous au **189**.

Si vous avez revêtu une redingote à parements dorés, rendez-vous au **180**. Si vous portez vos vêtements ordinaires, rendez-vous au **44**.

M. de Courtemare est encore chez lui et votre réapparition l'intrigue.

— Que s'est-il donc passé ? demande-t-il après vous avoir fait asseoir, êtes-vous allé chez Joubeuf ?

— Oui, et j'y ai découvert l'homme au masque rouge, répondez-vous.

— Comment ? Mais c'est tout à fait extraordinaire ! Et de qui s'agit-il ?

— De Bastien Frontouillard...

— Quoi ?

Si vous avez visité la pièce dans laquelle Thibaud de Ponsac a été assassiné, rendez-vous au **226**. Dans le cas contraire, rendez-vous au **88**

... Votre frère !

Eh oui, c'est lui qui est venu vous délivrer, à votre grande stupéfaction !

— Mais... Comment se fait-il ? balbutiez-vous, l'homme aux sabots...

— Oui, c'est ce que j'ai trouvé de mieux pour protéger mes souliers de la boue parisienne. Aide-moi à pousser cette table sous la lucarne.

Encore sous le choc, vous obéissez et bientôt, vous montez sur la table puis vous passez tous deux par la lucarne pour vous retrouver sur le toit.

— Il faut faire vite, dit votre frère, le bal va bientôt finir et on s'apercevra de ta disparition. En passant par les toits, nous parviendrons à atteindre une autre fenêtre et à sortir par les communs. Mon cheval est à côté du tien.

— Comment sais-tu que mon cheval ?...

— Oh, je n'ai pas eu grand mal à te repérer ! Au fait, laisse donc ta redingote, nous allons devoir nous livrer à quelques acrobaties et ce n'est pas le genre de vêtement qui convient à la haute voltige.

Si vous souhaitez en effet vous débarrasser de votre redingote, vous l'ôtez et vous la laissez là. Si vous préférez la garder, libre à vous.

Votre frère a pris la précaution d'emporter l'une des torches fixées aux murs afin d'éclairer votre chemin, car la nuit est noire et sans lune. Vous avancez prudemment sur le toit, en suivant le Prince du Temps qui s'approche d'une haute fenêtre.

— C'est par là qu'il faut passer, chuchote-t-il, mais ce ne sera pas facile.

Avec une remarquable souplesse, il s'accroche alors à une sculpture représentant une tête d'animal, qui orne l'encadrement de la fenêtre. Il se laisse ensuite tomber sur le rebord et parvient à repousser l'un des vantaux de la croisée. A vous maintenant d'en faire autant. Vous posez sur la gouttière la torche enflammée que votre frère vous a confiée et vous vous accrochez à votre tour à la sculpture. Si vous avez abandonné votre redingote, rendez-vous au **126**. Si vous en êtes toujours vêtue, rendez-vous au **18**.

223

... Votre sœur !

Eh oui, c'est votre sœur qui est venue ainsi vous délivrer et votre stupéfaction l'amuse.

— Tu as encore trouvé le moyen de t'attirer des ennuis, dit-elle d'un ton ironique. Si je n'étais pas là, ta carrière de prince russe se serait terminée dans les

222 *Avec une remarquable souplesse, le Prince du Temps s'accroche à une sculpture qui orne l'encadrement de la fenêtre.*

griffes du Masque de Sang. Allez, viens, il faut sortir d'ici.

— Mais... Comment se fait-il ? balbutiez-vous, l'homme aux sabots...

— Eh oui, je préfère me déguiser en homme, c'est tout de même plus pratique que ces robes imbéciles qui empêchent de courir, de se battre et de monter à cheval ! Quant aux sabots, c'est ce que j'ai trouvé de mieux pour protéger mes souliers de la boue parisienne. Aide-moi à pousser cette table sous la lucarne.

Encore sous le choc, vous obéissez et bientôt, vous montez sur la table puis vous passez tous deux par la lucarne pour vous retrouver sur le toit.

— Il faut faire vite, dit votre sœur, le bal va bientôt finir et on s'apercevra de ta disparition. En passant par les toits, nous parviendrons à atteindre une autre fenêtre et à sortir par les communs. Mon cheval est à côté du tien.

— Comment sais-tu que mon cheval ?...

— Je n'ai pas eu grand mal à te repérer, tu es si balourd, parfois. J'ai pensé que tu serais intéressé par la réunion du Masque de Sang, mais il a fallu que tu trouves le moyen de te faire prendre ! Ah, quel malheur, soupire votre sœur, d'avoir un frère aussi ballot ! Au fait, laisse donc ta redingote, nous allons devoir nous livrer à quelques acrobaties et ce n'est pas le genre de vêtement qui convient à la haute voltige.

Si vous souhaitez en effet vous débarrasser de votre redingote, vous l'ôtez et vous la laissez là. Si vous préférez la garder, libre à vous.

Votre sœur a pris la précaution d'emporter l'une des torches fixées aux murs afin d'éclairer votre chemin, car la nuit est noire et sans lune. Vous avancez prudemment sur le toit, en suivant la Princesse du Temps qui s'approche d'une haute fenêtre.

— C'est par là qu'il faut passer, chuchote-t-elle, mais ce ne sera pas facile.

Avec une remarquable souplesse, elle s'accroche alors à une sculpture représentant une tête d'animal, qui orne l'encadrement de la fenêtre. Elle se laisse ensuite tomber sur le rebord et parvient à repousser l'un des vantaux de la croisée. A vous maintenant d'en faire autant. Vous posez sur la gouttière la torche enflammée que votre sœur vous a confiée et vous vous accrochez à votre tour à la sculpture. Si vous avez abandonné votre redingote, rendez-vous au **242**. Si vous en êtes toujours vêtu, rendez-vous au **18**.

224

Tout semble calme alentour. Vous vous tenez sur vos gardes, mais personne ne vous attaque. En revanche, vous avez l'impression désagréable que l'on vous suit. Vous jetez fréquemment des coups d'œil derrière vous, sans apercevoir toutefois la moindre silhouette. Vous avancez ainsi le long des rues tandis qu'une lueur dans le ciel annonce l'aurore. Bientôt, une certaine animation commence à se manifester autour de vous : Paris s'éveille. Vous vous dirigez tout naturellement vers le Châtelet car vous estimez urgent de prévenir au plus tôt le commissaire Du Réner de ce qui s'est passé. A la vérité, vous n'avez pas eu votre content de sommeil et vous dormiriez volontiers une ou deux heures de plus. En attendant que le commissaire arrive à son bureau, vous louez donc une autre chambre, que vous espérez plus calme cette fois, chez une logeuse de la place Dauphine. Là, vous vous recouchez et vous faites un somme de deux heures qui vous rend 2 points de FORCE. Lorsque vous vous réveillez, vous vous hâtez de vous rendre au Châtelet où le commissaire

Du Réner ne tarde pas à vous recevoir. Vous lui racontez les événements de la nuit en lui parlant du dépôt d'armes et du passage secret dont l'existence vous semble apporter la preuve de l'innocence de Hensock le Follet.

— En admettant qu'un tel passage existe, répond alors le commissaire, cela ne prouve pas que votre parent soit innocent. Qui vous dit qu'il ne connaissait pas cette porte secrète ? Quant au dépôt d'armes, permettez-moi de me montrer quelque peu sceptique : que viendrait faire tout cet arsenal dans la cave d'une paisible auberge réputée pour son confort et sa propreté ?

La réaction du commissaire vous étonne : on dirait qu'il ne vous croit pas !

— Il est clair que cette auberge appartient à la confrérie du Masque de Sang, répondez-vous, je ne sais comment ils ont attiré là le malheureux Hensock, mais...

— Allons, cessez donc de me rebattre les oreilles avec votre Masque de Sang ! coupe Du Réner. Je vous ai déjà dit ce que je pensais de toutes ces fadaises !

— Au moins accepterez-vous de m'accompagner à l'auberge du Pont-Marie afin que je vous montre cette cave et les armes qui s'y trouvent ?

— Si vous y tenez vraiment, soit.

— Dans ce cas, allons-y dès maintenant, proposez-vous.

— Impossible, j'ai des affaires urgentes à régler, je ne pourrai m'occuper de vous que cet après-midi. Disons, vers quatre heures. Je vous attendrai devant l'auberge à cette heure-là.

— Cette affaire est tout aussi urgente, protestez-vous, ne pourriez-vous envoyer quelqu'un qui...

— Désolé, mais il me faut mettre un terme à notre

entretien, tranche Du Réner, je vous reverrai cet après-midi à 4 heures devant l'auberge du Pont-Marie. Je vous souhaite le bonjour, Monsieur.

Inutile d'insister, vous n'obtiendrez rien de plus. Vous quittez donc le Châtelet et vous remontez sur votre cheval. Qu'allez-vous faire à présent, en attendant l'heure du rendez-vous avec le commissaire ?

Rendre visite à Archibald de Joubeuf pour essayer de rencontrer Bastien, l'ancien domestique de Thibaud de Ponsac ?   Rendez-vous au **40**

Rendre visite à Eloi de Courtemare pour lui raconter ce qui s'est passé ?   Rendez-vous au **178**

225

Vous avez eu raison de vous débarrasser de ce vêtement mal commode. Vous conservez ainsi votre liberté de mouvements, ce qui ne signifie pas que vous soyez tirée d'affaire pour autant. Vous allez devoir, en effet, lancer un dé. Si vous obtenez 1 ou 2, vous vous foulez la cheville en sautant sur le rebord et vous perdez 3 points de FORCE. Si vous obtenez 3 ou 4, vous vous luxez le poignet au cours de vos acrobaties et vous perdez 4 points de FORCE. Vous parvenez cependant à sauter sur le rebord sans autre dommage. Si vous obtenez 5, vous lâchez prise et vous vous écrasez sur les pavés de la cour, en contre-bas. Dans ce cas, votre mission s'achève ici. Enfin, si vous obtenez 6, vous vous élancez sans difficulté sur le rebord de la fenêtre et vous suivez votre frère à l'intérieur. Vous dévalez alors tous deux un escalier de service et vous ne tardez pas à vous retrouver dans la cour où vous attendent vos chevaux. Vous montez aussitôt en selle et vous vous éloignez au plus vite de la maison de Mme de Sainte-Mouffle.

— Eh bien, nous avons eu chaud, fait remarquer le Prince du Temps.

— Pourrais-tu maintenant m'expliquer comment il se fait que tu appartiennes à la confrérie du Masque de Sang ? lui demandez-vous.

— J'ai réussi à m'y infiltrer. Malheureusement, j'ignore l'identité des autres membres. L'anonymat est scrupuleusement respecté par tous les frères.

— Tu ne sais pas qui est cette femme ?

— Une marquise, d'après les indices que j'ai pu obtenir, mais je ne crois pas qu'elle ait un rôle très important à jouer dans toute cette affaire.

— Et si c'était Mme de Sainte-Mouffle elle-même ?

— Impossible. Malgré son masque, la comtesse était reconnaissable parmi les invités.

— Imagine que ce soit quelqu'un d'autre qui ait joué le rôle de Mme de Sainte-Mouffle recevant ses hôtes, tandis que celle-ci participait en fait à la réunion ?

— Un peu tordu comme raisonnement. A propos, je ne t'ai pas entendue me remercier.

Cette réflexion vous met en rage, mais il est vrai que vous auriez pu avoir un mot de gratitude pour votre frère qui vous a permis tout à la fois de recueillir des informations précieuses et de vous tirer d'un très mauvais pas.

— Je te remercie, mon très cher frère, lancez-vous d'un ton pincé. Et maintenant ? Que faisons-nous ?

— On commence par te trouver un cheval et une tenue décente.

Il est vrai que vous êtes à demi nue et que vous ne pouvez continuer à vous promener longtemps ainsi. Vous passez donc place Dauphine pour mettre votre redingote. Vous avez perdu 7 louis d'or en abandon-

nant derrière vous votre robe et votre perruque.
Mauvaise soirée ! Vous récupérez ensuite votre cheval et vous repartez avec votre frère.

— Je te propose de nous mêler de ce transfert d'armes qui doit avoir lieu à 4 heures du matin sur la Seine, dit-il. Je sais par où les armes seront apportées sur le bateau et je dispose moi-même d'une embarcation qui va nous servir à contrecarrer ce projet.

— A deux, nous risquons de n'être pas suffisamment nombreux, faites-vous remarquer.

— Attends de connaître mon plan.

Rendez-vous au **179** pour en savoir davantage.

226

— Oui, et c'est Bastien Frontouillard qui a assassiné Thibaud de Ponsac, déclarez-vous à M. de Courtemare.

— Je ne puis le croire !...

Vous lui exposez alors votre démonstration : Frontouillard est gaucher, vous avez eu l'occasion de le constater, et la dague qui a servi à tuer Thibaud de Ponsac était accrochée à gauche de la porte donnant accès à la pièce où ce dernier était assis. Or, une autre dague semblable était symétriquement accrochée à droite de cette même porte. Le meurtrier avait donc le choix : il lui suffisait de tendre le bras pour s'emparer de l'une des dagues et c'est le bras *gauche* qu'il a tout naturellement tendu. En outre, le portier de la maison de M. de Ponsac vous a révélé que son maître avait été frappé dans le dos et du côté gauche, donc par un gaucher. Par conséquent, l'homme au masque noir que Bastien Frontouillard prétend avoir vu tuer son maître n'a jamais existé : le coupable n'est autre que Frontouillard lui-même.

— Il reste à le confondre, concluez-vous, ce qui ne

sera pas une mince affaire, car les preuves réunies sont insuffisantes pour convaincre la Justice de l'innocence de Hensock le Follet.

— Bastien Frontouillard, l'assassin de Thibaud ! C'est incroyable, soupire Eloi de Courtemare. Il semblait si attaché à son maître... Mais ce n'est certainement pas lui le cerveau de toute l'affaire. L'homme est trop simple pour être autre chose qu'un instrument au service de chefs plus redoutables encore. Qui se trouve à la tête de cette monstrueuse machination ? C'est cela qu'il faut découvrir.

— Et c'est ce que je découvrirai, assurez-vous d'un air décidé.

— Avez-vous vu les trois lettres que Thibaud de Ponsac a eu le temps de tracer sur le bord de son bureau avant de mourir ? interroge Eloi de Courtemare.

Vous vous en souvenez, en effet : un « g », un « o » et un « u » ou un « n ».

— Je me demande ce qu'il a voulu dire, poursuit votre interlocuteur, s'il voulait désigner son assassin, il aurait écrit « b-a-s ».

— Peut-être a-t-il plutôt essayé d'inscrire le nom de celui qui avait ordonné l'assassinat ?

— Qui sait ?

— Il y a encore beaucoup à faire pour découvrir toute la vérité. En attendant, je dois retourner à l'auberge du Pont-Marie où le commissaire Du Réner m'attend. Ensuite, je me rendrai au bal masqué que donne ce soir Mme de Sainte-Mouffle. Avez-vous également été invité ? demandez-vous à M. de Courtemare.

— Oui, répond celui-ci, mais ces réjouissances m'ennuient, je n'irai pas.

Vous quittez alors votre hôte qui sort en même

temps que vous après avoir chaussé les sabots qu'il affectionne tant. Peut-être auriez-vous envie de le suivre pour savoir où il va ainsi ? Vous n'en avez malheureusement pas le temps, car l'heure est venue de vous rendre au **241** pour retrouver le commissaire Du Réner.

227

Il y a foule dans le grand salon de Mme de Sainte-Mouffle. Les tenues les plus diverses se côtoient et les conversations se mêlent en un brouhaha ponctué d'éclats de rire essentiellement féminins. Des musiciens installés sur une estrade jouent quelques airs en sourdine et l'on sert aux diverses tables réparties dans la pièce des rafraîchissements et des friandises. Vous remarquez bientôt qu'une demi-douzaine d'invités portent des masques rouges. Des masques qui évoquent irrésistiblement le « masque de sang » que vous connaissez déjà. Simple coïncidence ? Pour le savoir, rendez-vous au **263**.

228

Lorsque vous arrivez au Champ-de-Mars, il est près de 8 heures. Une foule compacte s'est massée autour de deux aérostats attachés au sol chacun par une corde. Sans doute M. de Joubeuf a-t-il prévu un deuxième ballon au cas où le premier ne fonctionnerait pas bien. Vous vous frayez difficilement un chemin parmi les badauds au moment où un homme, dont vous ne distinguez pas les traits en raison de la distance, monte dans la nacelle d'un des deux ballons. Vous essayez d'arriver auprès de lui avant qu'il ne s'envole, mais il y a décidément trop de monde, vous ne parvenez pas à passer et vous voyez l'aérostat s'élever dans les airs. Il ne vous reste plus qu'à tenter le tout pour le tout. Au risque d'écraser quelques orteils, vous lancez votre cheval au galop en direction du deuxième ballon et vous grimpez aussitôt dans la nacelle. Votre soudaine apparition provoque un certain émoi alentour mais vous n'avez pas le temps de répondre aux questions que l'on vous pose. D'un coup d'épée, vous tranchez la corde qui retient le ballon au sol et vous vous élevez à votre tour dans les airs. Vous n'avez jamais piloté ce genre d'engin, mais après tout, c'est au vent de faire le plus gros du travail. Un vent qui vous est d'ailleurs favorable, car il rapproche votre aérostat de celui qui était parti quelques instants auparavant. Bientôt, les deux ballons sont tout près l'un de l'autre et vous parvenez à voir le visage de l'homme qui se trouve dans la nacelle.

Si vous connaissez l'identité de l'homme au masque rouge qui s'est introduit dans votre chambre l'autre nuit, rendez-vous au **218**. Dans le cas contraire, rendez-vous au **219**.

229

— Auriez-vous un domestique qui s'appelle Bastien Frontouillard ? demandez-vous à brûle-pourpoint.

— Oui, répond M. de Joubeuf quelque peu interloqué, c'est même l'un de mes meilleurs serviteurs. Ses gages sont élevés, mais il est loyal et ne renâcle pas à la tâche.

— Pourrais-je le voir ?

— Rien n'est plus simple, il est là-bas, près de l'aérostat, indique Archibald de Joubeuf en désignant l'un des hommes qui travaillent un peu plus loin. Bastien ! appelle-t-il, viens ici !

L'homme s'avance aussitôt vers vous. Il a une quarantaine d'années, des traits épais, un nez fort et retroussé, des sourcils touffus et des yeux d'un bleu délavé. Il vous semble qu'en vous voyant, Bastien

Frontouillard a eu une réaction de surprise, mais vous ne sauriez en jurer.

— Bastien, Monseigneur le prince Perenniov veut te parler, annonce M. de Joubeuf.

— Oui, Monseigneur ? dit Bastien Frontouillard.

Archibald de Joubeuf, faisant pour une fois preuve de tact, s'éloigne de quelques pas afin que vous puissiez parler en toute tranquillité au domestique.

— J'étais un ami de Thibaud de Ponsac, prétendez-vous, et j'ai appris que vous aviez assisté à ses derniers instants...

— Ah, quel malheur ! s'exclame Bastien, pauvre Monsieur !

— Vous étiez là quand l'assassin l'a frappé ?

— Oh oui, hélas ! J'étais là ! Lorsque je suis arrivé dans la pièce, l'infâme était en train de poignarder mon maître.

— Il avait le visage masqué, je crois ?

— Oui, il portait un masque noir, ce qui ne l'a pas empêché de se faire prendre dès le lendemain matin. Heureusement, le misérable sera châtié comme il le mérite.

Bien entendu, Bastien Frontouillard est convaincu que Hensock le Follet est bel et bien l'assassin de son ancien maître. Inutile d'essayer de le détromper, il ne vous croirait pas.

— M. de Ponsac est mort sur le coup ? demandez-vous.

— Oui, quand je me suis précipité sur lui pour lui porter secours, il était trop tard.

— Et l'assassin ?

— Il s'est enfui dès qu'il m'a vu. Il y avait une autre porte dans la pièce, c'est par là qu'il est passé. Mon Dieu, pauvre Monsieur, chaque fois que je repense à lui, je ne puis m'empêcher de pleurer.

Bastien Frontouillard baisse la tête. Il a en effet les

larmes aux yeux et s'essuie du revers de sa manche gauche. Peu à peu, il est secoué de sanglots : vous n'arriverez plus à tirer de lui quoi que ce soit.

— Puis-je retourner à mon travail ? demande-t-il d'une voix entrecoupée de hoquets.

— Oui, oui, allez-y, répondez-vous.

Voyant que vous en avez terminé, M. de Joubeuf revient vers vous.

— Ce Bastien a servi un de mes amis aujourd'hui disparu, déclarez-vous au négociant, je souhaitais qu'il me parle de lui.

— Je comprends... dit M. de Joubeuf d'un air grave. Monseigneur, reprend-il après un instant de silence, me ferez-vous l'honneur d'assister demain au vol de mon aérostat ? C'est moi-même qui prendrai place dans la nacelle. Je compte survoler Paris aussi longtemps que possible et me poser en douceur à l'endroit que j'aurai choisi lorsque je connaîtrai la direction du vent. Votre présence me serait infiniment précieuse, Monseigneur. Je m'élèverai dans les airs au Champ-de-Mars à 8 heures du matin.

— J'ignore si je pourrai m'y rendre, répondez-vous, mais si cela m'est possible, croyez bien que je ne manquerai pas d'y être.

— J'en serai extrêmement honoré, assure M. de Joubeuf.

— Il me faut maintenant prendre congé, annoncez-vous.

Si, tout à l'heure, vous avez fouillé dans un placard en attendant que le domestique vienne vous chercher, rendez-vous au **282**. Dans le cas contraire, rendez-vous au **49**.

230

D'un bond, vous sautez à terre et vous vous précipitez le long du couloir pour essayer de rejoindre l'escalier. Hélas, votre calcul était mauvais, car la porte du grenier s'ouvre au moment précis où vous passez devant. Les membres de la confrérie, en vous voyant surgir ainsi, se jettent aussitôt sur vous et vous immobilisent. Puis ils vous poussent à l'intérieur du grenier.

Si vous êtes le Prince du Temps, rendez-vous au **90**.

Si vous êtes la Princesse du Temps, rendez-vous au **193**.

231

Vous vous apprêtez à livrer le cinquième Assaut lorsqu'un coup de feu éclate. Une tache rouge apparaît alors entre les deux yeux de votre adversaire qui s'écroule sur le sol, tué net. Vous vous retournez : c'est M. de Joubeuf qui vient de tirer.

— Un domestique ! Se battre contre un prince ! s'indigne-t-il. Etes-vous blessé, Monseigneur ?

— Non, non, ce n'est rien.

Vous vous hâtez d'aller voir à l'intérieur de la nacelle et vous vous rendez au **191** pour découvrir ce qu'elle contient.

232

Vous pénétrez dans l'auberge en compagnie du commissaire. L'aubergiste paraît stupéfait lorsque Du Réner ordonne qu'on le mène à la chambre 4 pour l'inspecter, mais il s'exécute sans protester. Quelques instants plus tard, vous entrez tous deux dans la pièce et vous vous dirigez droit vers l'armoire dont vous ouvrez la porte. Hélas, la porte secrète a disparu ! Vous remarquez alors que l'armoire a été changée : ce n'est pas celle qui se trouvait dans la chambre la nuit dernière. Vous la faites aussitôt déplacer et vous constatez que l'entrée du passage secret a été obstruée à l'aide de pierres assemblées à la hâte.

— Regardez ! vous écriez-vous, on a essayé de boucher l'issue, mais le ciment est encore frais !

Le commissaire Du Réner s'approche et examine le mur.

— Je ne vois rien d'anormal, dit-il.

De son index recourbé, il frappe contre les pierres.

— Il n'y a aucun passage secret derrière ce mur, déclare-t-il, vous avez rêvé.

Vous avez beau protester, le commissaire ne veut rien savoir. Pour lui, ce mur est un mur comme les autres.

— Descendons à la cave, vous verrez bien ! vous exclamez-vous avec colère.

L'aubergiste vous emmène au sous-sol en vous faisant passer par l'autre porte, celle que vous aviez empruntée pour quitter la cave. L'endroit est bien tel que vous l'aviez vu au cours de la nuit précédente, mais il est entièrement vide, cette fois.

— Alors, où est donc votre dépôt d'armes ? s'impatiente le commissaire.

Vous remontez l'escalier qui mène à la chambre et vous vous retrouvez de l'autre côté de la porte secrète obstruée par les pierres. Là encore, le commissaire ne veut pas vous croire : pour lui, ce mur est parfaitement normal et le ciment lui paraît sec.

— Vous m'avez donc fait déplacer pour rien ! s'emporte Du Réner. Voilà où nous mène votre stupide acharnement à vouloir prouver l'innocence de Hensock le Follet. Sachez, Monsieur, que je ne tolérerai plus de voir mettre en doute les conclusions de mon enquête. Et si vous avez le mauvais goût d'insister, c'est vous que j'enverrai en prison ! Je vous souhaite le bonjour.

Le commissaire quitte les lieux en vous entraînant avec lui. Vous n'avez pas même le temps de poser la moindre question à l'aubergiste. On a bel et bien réussi à vous berner : le passage secret a été bouché, les armes enlevées et toutes vos preuves ont ainsi disparu. De plus, le commissaire Du Réner refuse désormais de vous entendre. Sa mauvaise foi vous rend perplexe : pourquoi n'a-t-il pas voulu voir que la porte secrète avait été obstruée ? Avait-il peur que son enquête soit remise en cause ? Et pour quelles raisons ? Par crainte d'une réprimande, voire d'une sanction pour avoir fait emprisonner un innocent ? Voilà autant de questions auxquelles vous ne pouvez répondre. En tout cas, les choses se présentent mal dans l'immédiat et il ne vous sera guère facile de faire éclater la vérité.

Le moment est venu, maintenant, de revenir dans votre chambre de la place Dauphine et de vous préparer pour vous rendre au bal masqué de Mme de Sainte-Mouffle.

Si vous êtes le Prince du Temps, rendez-vous au **254**.

Si vous êtes la Princesse du Temps, rendez-vous au **199**.

233

Lancez un dé. Si vous obtenez 1 ou 2, vous vous écorchez douloureusement les mains sur la corde. Vos paumes sont à vif, ce qui vous fait perdre 1 point de MAÎTRISE pendant la durée du combat qui va suivre. Vous parvenez cependant à atteindre la nacelle de l'autre ballon sans plus de dommage. Si le dé vous donne 3 ou 4, vous évitez de vous faire mal aux mains, mais vous vous cognez violemment contre la nacelle au moment où vous l'atteignez et vous perdez 2 points de FORCE. Vous parvenez malgré tout à monter dans la nacelle sans autre dommage. Si vous obtenez 5, vous lâchez prise et vous tombez dans le vide. Votre corps s'écrase alors plusieurs centaines de mètres plus bas et votre mission se termine donc ici. Enfin, si le dé vous donne 6, vous parvenez à atteindre la nacelle sans le moindre dommage.

Si vous pensez que les cartes d'audace vous seront plus favorables que le dé, vous pouvez tenter un coup d'audace en vous rendant au **266**. Si vous parvenez à grimper dans la nacelle, rendez-vous au **259**.

234

— Tout devient clair, à présent ! vous écriez-vous. En fait, c'est ce Bastien Frontouillard qui a assassiné M. de Ponsac.

— Bastien, assassiner Thibaud ? s'étonne Eloi de Courtemare.

Vous lui exposez alors votre démonstration : Frontouillard est gaucher, vous avez eu l'occasion de le constater, et la dague qui a servi à tuer Thibaud de Ponsac était accrochée à gauche de la porte donnant accès à la pièce où ce dernier était assis. Or, une autre dague semblable était symétriquement accrochée à droite de cette même porte. Le meurtrier avait donc le choix : il lui suffisait de tendre le bras pour s'emparer de l'une des dagues et c'est le bras *gauche* qu'il a tout naturellement tendu. En outre, le portier de la maison de M. de Ponsac vous a révélé que son maître avait été frappé dans le dos et du côté gauche, donc par un gaucher. Par conséquent, l'homme au masque noir que Bastien Frontouillard prétend avoir vu tuer son maître n'a jamais existé : le coupable n'est autre que Frontouillard lui-même.

— Il reste à le confondre, concluez-vous, ce qui ne sera pas une mince affaire, car les preuves réunies sont encore insuffisantes pour convaincre la justice de l'innocence de Hensock le Follet.

— Bastien Frontouillard, l'assassin de Thibaud ! C'est incroyable, soupire Eloi de Courtemare. Il semblait si attaché à son maître... Mais ce n'est certainement pas lui le cerveau de toute l'affaire. L'homme est trop simple pour être autre chose qu'un instrument au service de chefs plus redoutables encore. Qui se trouve à la tête de cette monstrueuse machination ? C'est cela qu'il faut découvrir.

— Et c'est ce que je découvrirai, assurez-vous d'un air décidé.

— Avez-vous vu les trois lettres que Thibaud de Ponsac a eu le temps de tracer sur le bord de son bureau avant de mourir ? interroge Eloi de Courtemare.

Vous vous en souvenez, en effet : un « g », un « o » et un « u », ou un « n ».

— Je me demande ce qu'il a voulu dire, poursuit votre interlocuteur, s'il voulait désigner son assassin, il aurait écrit « b-a-s ».

— Peut-être a-t-il plutôt essayé d'inscrire le nom de celui qui avait ordonné l'assassinat ?

— Qui sait ?

— Quoi qu'il en soit, le commissaire Du Réner sera bien obligé de réviser son jugement quand il verra le passage secret menant de la chambre 4 à la cave et l'arsenal que celle-ci contient, faites-vous remarquer.

— Toutes ces armes sont sans nul doute destinées à la confrérie du Masque de Sang, et je crains qu'elles ne servent de bien noirs projets.

— La police les saisira.

— Je l'espère... répond Eloi de Courtemare d'un air énigmatique. Que comptez-vous faire, à présent ?

Bonne question, en effet.

Si vous souhaitez rendre visite à Archibald de Joubeuf qui a pris Bastien Frontouillard à son service après la mort de Thibaud de Ponsac, rendez-vous au **40**.

Dans le cas contraire, vous pouvez prendre un repas dans une auberge en attendant l'heure du rendez-vous avec le commissaire Du Réner. Il vous en coûtera 40 sols et vous regagnerez 2 points de FORCE. Vous vous rendrez ensuite au **241** pour retrouver le commissaire à qui vous avez décidément beaucoup de choses à dire !

235

Vous remontez sur votre cheval et vous vous éloignez à bonne allure de l'hôtel de la comtesse. Un instant plus tard, vous vous apercevez que vous êtes suivi. Vous êtes même bientôt rattrapé par un autre homme à cheval. Et cet homme, c'est... l'homme aux sabots. Il a toujours son masque et vient se placer à votre gauche.

— Alors, mignon, on se promène ? dit-il.

Cette voix ! Vous l'avez aussitôt reconnue ! Ce n'est d'ailleurs pas une voix d'homme, c'est la voix... de votre sœur ! Celle-ci relève son masque : c'est bien elle !

— Que... Qu'est-ce que... ? balbutiez-vous.

— Allons, remets-toi ! s'exclame la Princesse du Temps en éclatant de rire.

— Mais comment ?... L'homme aux sabots ?...

— Eh oui, je préfère me déguiser en homme, c'est tout de même plus pratique que ces robes imbéciles qui empêchent de courir, de se battre et de monter à cheval ! Quant aux sabots, c'est ce que j'ai trouvé de

mieux pour protéger mes souliers de la boue parisienne.

— Et comment m'as-tu reconnu ?

— Ce n'est pas si difficile, un prince russe, cela se
repère au premier coup d'œil. J'ai pensé que tu serais
intéressé par la réunion du Masque de Sang et je t'y
ai donc invité.

— Et comment se fait-il que tu appartiennes à cette
confrérie ? vous étonnez-vous.

Rendez-vous au **27** pour entendre sa réponse.

236

Soudain, l'un des hommes qui travaillent près de
l'aérostat, et dont, jusqu'à présent, vous n'aperceviez que le dos, se retourne : c'est Bastien Frontouillard, l'homme qui a assassiné Thibaud de Ponsac,
l'homme qui a tenté de tuer le baron de la Gaillottière, l'homme enfin qui a essayé de vous tuer, vous.
Bastien Frontouillard croise votre regard, mais,
habillée comme vous l'êtes, il ne vous reconnaît pas.
La nuit dernière, il vous a prise pour un homme et
ne peut se douter que cette jeune femme élégante et
gracieuse au côté de M. de Joubeuf est la même personne qui lui a arraché son masque dans la cave de
l'auberge du Pont-Marie. C'est donc en toute
tranquillité qu'il poursuit sa besogne sans vous prêter attention.

— Vous avez là un bien beau ballon, déclarez-vous
à M. de Joubeuf du ton le plus mondain.

— Il n'aura jamais autant de beauté que vous,
Altesse, répond le négociant en accompagnant ses
paroles d'une révérence maladroite.

Voilà un compliment d'une bêtise achevée ! Compa-
rer votre beauté à celle d'un ballon ! Décidément, ce
boutiquier parvenu ne peut vous inspirer que le plus
profond mépris.

— J'ai d'ailleurs bien d'autres ballons, reprend M. de Joubeuf, les aérostats me coûtent beaucoup d'argent, mais j'en retire de grandes satisfactions.

— Et tous ces hommes qui travaillent avec vous partagent votre passion ? demandez-vous.

— Oh oui, surtout Bastien, mon fidèle serviteur, l'homme que vous voyez là-bas. Bastien s'est enthousiasmé pour mes ballons, je le crois même capable d'exécuter lui-même des vols. Demain, en tout cas, c'est moi qui volerai. Je compte survoler Paris aussi longtemps que possible et me poser en douceur à l'endroit que j'aurai choisi lorsque je connaîtrai la direction du vent. Me ferez-vous l'honneur, Altesse, d'assister demain à cette expérience ? Je m'élèverai dans les airs au Champ-de-Mars à 8 heures du matin et si vous le désirez, je viendrai moi-même vous chercher pour vous amener sur place.

Si vous souhaitez accepter cette invitation, vous donnez rendez-vous à M. de Joubeuf pour le lendemain, à 7 h 30 place Dauphine. Sinon, vous réservez votre réponse en assurant à votre interlocuteur que vous seriez ravie de le voir s'envoler dans son ballon mais que vous n'êtes pas sûre d'être disponible à cette heure-là.

Dans l'un et l'autre cas, vous n'avez plus rien à faire ici et, bien que M. de Joubeuf essaie de vous retenir en vous proposant un rafraîchissement, vous préférez quitter sa maison et retourner à Paris où vous avez rendez-vous à 4 heures avec le commissaire Du Réner devant l'auberge du Pont-Marie. Mais avant toute chose, vous allez devoir remettre vos vêtements d'homme et, une fois rentrée place Dauphine, renvoyer votre voiture de louage dont vous n'aurez plus besoin cet après-midi. Après vous être changée, vous pourrez, si vous le désirez, prendre un repas dans une auberge. Il vous en coûtera 40 sols et vous regagnerez 2 points de FORCE. En sortant de table, vous vous rendrez au **241** pour retrouver le commissaire Du Réner. Vous aurez décidément beaucoup de choses à lui dire !

237

Le destin vous est fatal. Le soleil contenait en effet une petite bombe qui a littéralement pulvérisé la porte et vous-même par la même occasion. Quel dommage que vous n'ayez pas eu le réflexe de vous reculer à temps. Vous étiez si près du but ! Mais tant pis, c'est ainsi : votre mission a échoué.

238

Vous revêtez votre robe de satin, vous ajustez votre perruque et vous agrémentez votre tenue des quelques accessoires que vous avez peut-être achetés. Bien entendu, il vous est impossible de porter une épée avec une robe. Vous prendrez donc comme arme votre poignard et un pistolet, si toutefois vous en avez un. Lorsque vous aurez fini de vous préparer, il vous faudra choisir un masque. Si vous possédez un masque rouge, vous pouvez le mettre. Sinon, vous en achèterez un dans un magasin de mode, si ce n'est déjà fait. Il vous en coûtera 1 écu. Le moment est venu de partir, car le bal masqué commencera dans quelques instants. Vous prenez un fiacre et, malgré les encombrements, vous arrivez rapidement sur place. Vous faites alors votre entrée dans la maison de la comtesse en vous rendant au **188**.

239

Hélas, le destin ne vous est pas favorable. Bastien Frontouillard parvient en effet à couper la corde qui relie les deux aérostats avant que vous n'ayez atteint l'autre nacelle. Vous tombez alors dans le vide avec votre ballon et votre mission s'achève ici.

Si vous aviez déjà rendu visite à Eloi de Courtemare juste avant d'aller chez M. de Joubeuf, rendez-vous au **221**. Sinon, rendez-vous au **252**.

241

Lorsque vous arrivez devant l'auberge du Pont-Marie, le commissaire Du Réner est déjà là. D'humeur grincheuse, il vous reçoit sans amabilité.
— J'espère pour vous que vous ne m'avez pas fait déplacer pour rien, bougonne-t-il en guise de formule de bienvenue.
Si vous avez découvert le nom de l'homme au masque rouge, rendez-vous au **272** Sinon, rendez-vous au **82**.

242

Vous avez eu raison de vous débarrasser de ce vêtement mal commode. Vous conservez ainsi votre liberté de mouvements, ce qui ne signifie pas pour autant que vous soyez tiré d'affaire. Vous allez devoir, en effet, lancer un dé. Si vous obtenez 1 ou 2, vous vous foulez la cheville en sautant sur le rebord et vous perdez 3 points de FORCE. Si vous obtenez 3 ou 4, vous vous luxez le poignet au cours de vos acrobaties et vous perdez 4 points de FORCE. Vous parvenez cependant à sauter sur le rebord sans autre dommage. Si vous obtenez 5, vous lâchez prise et vous vous écrasez sur les pavés de la cour, en contrebas. Dans ce cas, votre mission s'achève ici. Enfin, si vous obtenez 6, vous vous élancez sans difficulté sur le rebord de la fenêtre et vous suivez votre sœur à l'intérieur. Vous dévalez alors tous deux un escalier de service et vous ne tardez pas à vous retrouver dans la cour où vous attendent vos chevaux. Vous montez aussitôt en selle et vous vous éloignez au plus vite de la maison de Mme de Sainte-Mouffle.

— Eh bien, nous avons eu chaud, fait remarquer la Princesse du Temps.

— Pourrais-tu m'expliquer maintenant comment il se fait que tu appartiennes à la confrérie du Masque de Sang ? lui demandez-vous.

Rendez-vous au **27** pour entendre sa réponse.

243

Le Prince du Temps expire sous vos yeux et vous tombez à genoux auprès de lui en sanglotant. L'un de vos adversaires en profite pour vous attaquer par-derrière. Il vous transperce le corps de son épée et votre cadavre s'effondre sur celui de votre frère. Vous êtes morts vaillamment tous les deux, mais hélas, votre mission a échoué.

244

— Je peux faire mieux, répondez-vous, pour peu que vous ayez l'obligeance de me fournir un papier et une plume.

Quelques instants plus tard, un domestique vous apporte ce que vous avez demandé et vous tracez un portrait tout à fait ressemblant de votre agresseur. Eloi de Courtemare examine votre dessin ; vous le voyez alors pâlir.

— Mon Dieu... murmure-t-il, c'est... Etes-vous sûr que cet homme est bien celui qui...

— J'ai fidèlement reproduit ses traits, assurez-vous.

— Quelle horreur ! s'exclame M. de Courtemare, cet homme, c'est... Bastien Frontouillard, le domestique qui a assisté à l'assassinat de Thibaud de Ponsac !

— Quoi ?

Si vous avez visité la pièce dans laquelle Thibaud de Ponsac a été assassiné, rendez-vous au **234**. Dans le cas contraire, rendez-vous au **96**.

245

Ainsi donc, vous ne savez pas qui a assassiné Thibaud de Ponsac. Dommage, car, maintenant, vous avez perdu toute chance de jamais l'apprendre. Alors que vous examinez la caverne, vous ressentez en effet une douleur fulgurante dans la nuque tandis qu'un coup de feu retentit. Quelqu'un — vous ne saurez jamais qui — vient de vous tuer d'un coup de pistolet. Vous avez commis une erreur fatale en venant dans ce souterrain : votre mission s'achève sur un échec cuisant et définitif.

246

Ainsi donc, l'abbé Goulot du Pauillac ne pourra pas renouveler ses aveux devant la police. Décidément, vous jouez de malchance dans vos succès ! D'abord Frontouillard, maintenant l'abbé : les deux personnages clés de l'affaire ont disparu... Mais ce qui compte avant tout, maintenant, c'est faire sortir Hensock le Follet de la Bastille. Comment s'y prendre ? Vous décidez de réfléchir à un plan d'action, mais en attendant d'avoir trouvé la solution, vous vous rendez chez M. de Courtemare pour prendre de ses nouvelles. Il n'a toujours pas repris connaissance et vous restez à son chevet. La fatigue vous gagne, cependant, et vous vous endormez profondément, ce qui vous fait gagner 2 points de FORCE. Lorsque vous vous réveillez, vous n'avez plus aucune idée de l'heure qu'il est. Vite ! Il faut vous décider à faire quelque chose pour sauver Hensock ! M. de Courtemare est toujours inconscient, il est inutile que vous restiez ici plus longtemps. Vous sortez donc dans la rue de Grenelle. Il fait jour. Avez-vous dormi toute une nuit ? Vous n'en savez plus rien. Vous remarquez en tout cas qu'une grande agitation règne au-dehors. Des groupes d'hommes et de femmes se dirigent vers les Invalides qui se trouvent un peu plus loin. Vous suivez le mouvement pour essayer de savoir ce qui se passe et bientôt, la foule vous entraîne à l'intérieur même de l'hôtel des Invalides : là, vous assistez à un pillage en règle ; des milliers de Parisiens en colère, portant sur leurs vêtements des cocardes rouge et bleu aux couleurs de leur ville, s'emparent des fusils qui sont entreposés en ces lieux. C'est une révolte armée qui se prépare. Une idée vous vient alors : pourquoi ne pas essayer d'inciter les émeutiers à se rendre à la Bastille ? Ce serait un moyen spectaculaire et efficace de libérer Hensock le Follet !

— Prenez les armes ! dit un homme dans la foule, à bas la tyrannie ! Toi, là-bas, ajoute-t-il en s'adressant à vous, prends ce fusil !

Il vous donne une arme que vous brandissez en vous écriant :

— A bas la tyrannie ! Tous à la Bastille ! Abattons la forteresse des tyrans !

— Il a raison ! approuve quelqu'un.

— A la Bastille ! dit un autre.

— A la Bastille ! répètent plusieurs voix.

Un instant plus tard, la foule s'élance hors des Invalides en direction de la Bastille. Lorsque les émeutiers parviennent devant la forteresse, vous vous arrangez pour être au premier rang. Des négociations s'engagent alors entre les représentants du peuple et le gouverneur de la prison. D'autres Parisiens viennent grossir la foule des insurgés ; certains d'entre eux sont armés de piques et de haches. La tension monte. Plusieurs heures s'écoulent. Enfin, le

gouverneur ordonne à ses gardes de faire feu. Des émeutiers tombent. La colère du peuple est à son comble. Des dizaines d'hommes se sont effondrés autour de vous, fauchés par les balles et vous avez failli vous-même vous faire tuer. Mais la foule est maintenant si considérable que le gouverneur doit se résoudre à céder devant la fureur du peuple. Il fait abaisser le pont-levis et les insurgés s'engouffrent à l'intérieur de la forteresse. Tandis que les émeutiers massacrent les soldats qui leur ont tiré dessus, vous essayez de découvrir la cellule où Hensock le Follet a été enfermé. Pointant votre fusil sur l'un des gardes, vous lui ordonnez de vous mener auprès du Messager du Temps. Apeuré, l'homme s'exécute et vous conduit dans un cachot sinistre où les rats pullulent dans une odeur pestilentielle. Un autre garde se dresse alors devant vous. Il est armé d'un fusil,

246 *Des milliers de Parisiens en colère s'élancent en direction de la Bastille.*

mais vous n'y prêtez guère attention car vous venez d'apercevoir, debout contre le mur du fond, la silhouette de Hensock le Follet. Vous vous précipitez vers lui, mais le garde n'est pas décidé à vous laisser passer. Il presse la détente de son fusil.

Si vous êtes le Prince du Temps, rendez-vous au **291**.
Si vous êtes la Princesse du Temps, rendez-vous au **292**.

247

Vous répondez que vous ne savez pas encore si vous pourrez ou non vous rendre au Champ-de-Mars mais que vous ferez de votre mieux.

Si, tout à l'heure, vous avez fouillé dans un placard en attendant que le domestique vienne vous chercher, rendez-vous au **135**. Dans le cas contraire, rendez-vous au **86**.

248

Vous vous apprêtez à livrer le quatrième Assaut lorsqu'un coup de feu éclate. Une tache rouge apparaît alors entre les deux yeux de votre adversaire qui s'écroule sur le sol, tué net. Vous vous retournez : c'est M. de Joubeuf qui vient de tirer.

— Se battre contre une femme ! s'indigne-t-il, et un domestique, qui plus est ! Etes-vous blessée, Altesse ?

— Non, non, ce n'est rien.

Vous vous hâtez d'aller voir à l'intérieur de la nacelle et vous vous rendez au **165** pour découvrir ce qu'elle contient.

249

Vous décidez de ne pas bouger et bien vous en prend. Personne en effet ne peut vous voir, là où vous vous cachez, et les frères — ainsi que la sœur — aux Masques de Sang sortent de la pièce sans dommage pour vous. Quelques minutes plus tard, vous vous risquez hors de votre cachette et vous redescendez dans le grand salon. Le bal continue et les invités semblent enchantés de leur soirée à en juger par l'animation qui règne ici. Les membres de la confrérie ont repris leur place parmi les danseurs. Mme de Sainte-Mouffle virevolte entre ses invités, mais l'abbé Goulot du Pauillac a disparu. Sans doute est-il allé se coucher. Quant à vous, il vous paraît plus judicieux de vous éclipser discrètement. Car vous avez la ferme intention de tout mettre en œuvre pour empêcher que se réalisent les monstrueux projets dont vous avez entendu parler ce soir. Vous parvenez sans difficulté à quitter la maison et vous respirez une grande bouffée d'air en vous retrouvant au-dehors. L'atmosphère, ici, devenait étouffante.

Si vous êtes le Prince du Temps, rendez-vous au **235**.
Si vous êtes la Princesse du Temps, rendez-vous au **258**.

250

Lorsque vous tirez le dernier coup de feu, Bastien Frontouillard bascule par-dessus la nacelle et tombe dans le vide. Vous empoignez alors la corde qui relie les deux aérostats et vous tirez de toutes vos forces pour rapprocher les deux ballons. Vous montez ensuite dans l'autre nacelle et vous découvrez au fond l'énorme bombe que le domestique devait jeter sur le peuple de Paris descendu dans la rue pour protester contre le renvoi de Necker. A l'aide de votre poignard, vous coupez la corde entre les deux ballons et vous vous rendez au **276**.

251

Vous avez commis une erreur en vous habillant de la même façon. Car si votre visage est masqué, votre robe, en revanche, est reconnaissable. L'un des hommes réunis autour de la table a les yeux fixés sur vous et soudain, il vous montre du doigt en s'écriant :

— Pardonnez-moi de vous interrompre, Maître, mais cette femme est une espionne !

Des exclamations diverses accueillent cette révélation et l'on se précipite sur vous pour vous immobiliser.

L'homme à la voix solennelle vous arrache votre masque. Il vous dévisage lentement, puis s'exclame :

— Le prince russe ! Le prince russe est une femme ! Ignoble traîtresse ! Attachez-la, vous autres !

Les choses tournent mal pour vous ! Préparez-vous à affronter de grandes difficultés en vous rendant au **184**.

252

M. de Courtemare est chez lui et vous reçoit avec grand plaisir. Vous lui demandez tout d'abord des nouvelles du baron de la Gaillottière. Il semble que celui-ci aille légèrement mieux. Il n'a pas encore repris connaissance, mais les chirurgiens espèrent le sauver.

— Et vous ? s'enquiert M. de Courtemare.

Vous lui racontez alors les événements de la nuit précédente puis vous lui révélez votre découverte la plus importante :

— Je sais désormais qui est l'homme au masque rouge, annoncez-vous, je l'ai revu chez M. de Joubeuf.

— Comment ? Mais c'est tout à fait extraordinaire ! Et de qui s'agit-il ?

— De Bastien Frontouillard...

— Quoi ?

Si vous avez visité la pièce dans laquelle Thibaud de Ponsac a été assassiné, rendez-vous au **226**. Dans le cas contraire, rendez-vous au **88**.

Si vous avez rendu visite à M. de Joubeuf la veille, rendez-vous au **158**. Dans le cas contraire, rendez-vous au **149**.

Si vous possédez une redingote à parements dorés, vous pourrez vous en revêtir pour vous rendre à ce bal, mais ce n'est nullement obligatoire. Vous porterez de toute façon un masque qui dissimulera votre visage. Souvenez-vous, cependant, de ce que vous avez fait dans la journée et choisissez votre costume avec prudence... Il serait de mauvais goût d'aller à un bal en ayant une épée au côté. Vous emporterez donc comme arme votre poignard et un pistolet si toutefois vous en avez un. Lorsque vous aurez fini de vous préparer, il vous faudra choisir un masque. Si vous possédez un masque rouge, vous pouvez le mettre. Sinon, vous en achèterez un dans un magasin de mode, si ce n'est déjà fait. Il vous en coûtera 1 écu. Prenez ensuite votre cheval et dirigez-vous vers la rue de Varenne où le bal donné par Mme de Sainte-Mouffle commencera dans quelques instants. Malgré les encombrements, vous arrivez rapidement sur place, un domestique s'occupe d'attacher votre cheval dans la cour de la maison et vous faites votre entrée chez la comtesse en vous rendant au **227**.

Un domestique vous annonce que M. de Courtemare n'est pas chez lui.

— Monsieur doit être reçu par Sa Majesté le Roi cet après-midi, mais il s'est rendu ce matin au Palais-Royal. Le peuple de Paris gronde et Monsieur veut entendre les orateurs qui parlent en son nom. Car

Monsieur, voyez-vous, sera bientôt ministre et Monsieur est très proche du peuple. Il a toujours manifesté une grande compassion pour les petites gens et...

Vous plantez là le domestique lancé dans un discours interminable et vous vous précipitez au Palais-Royal. C'est à cet endroit en effet que la confrérie du Masque de Sang projetait d'assassiner M. de Courtemare. Dix minutes plus tard, vous êtes sur place. Le peuple de Paris gronde, en effet, les rues sont encore plus animées qu'à l'ordinaire et l'on sent une atmosphère explosive. Il est difficile de repérer quelqu'un dans la foule qui se presse alentour et malgré tous vos efforts, vous ne parvenez pas à apercevoir M. de Courtemare. Un marchand ambulant vous aborde alors.

— Ah, mon bon Monsieur, dit-il, comme vous semblez pâle et mal en point ! Ne voudriez-vous pas acheter mes poudres roboratives ? Pour un louis, vous retrouverez la santé, un louis, un tout petit louis et je vous rend force et vigueur. Un tout petit louis...

Si vous souhaitez acheter pour un louis une poudre roborative, rendez-vous au **94**. Sinon, rendez-vous au **59**.

Soudain, l'un des hommes qui travaillent près de l'aérostat et dont, jusqu'à présent, vous n'aperceviez que le dos, se retourne : c'est Bastien Frontouillard, l'homme qui a assassiné Thibaud de Ponsac, l'homme qui a tenté de tuer le baron de la Gaillottière, l'homme enfin qui a essayé de vous tuer, vous. Dès que vous le reconnaissez, vous avez la présence d'esprit de vous tourner vers Archibald de Joubeuf afin que Frontouillard ne puisse voir votre visage.

— Vous avez là un beau ballon, déclarez-vous au négociant d'un ton dégagé.

— Oh, j'en ai même plusieurs, répond celui-ci en se rengorgeant. Les aérostats me coûtent beaucoup d'argent, mais j'en retire de grandes satisfactions.

— Et tous ces hommes qui travaillent avec vous partagent votre passion ?

— Oh oui, surtout Bastien, mon fidèle serviteur, l'homme que vous voyez là-bas.

Fort heureusement, Bastien Frontouillard vous tourne le dos à nouveau et vous ne risquez donc pas de croiser son regard en jetant un coup d'œil vers lui.

— Bastien s'est enthousiasmé pour mes ballons, poursuit M. de Joubeuf, je le crois même capable d'exécuter lui-même des vols. Demain, en tout cas, c'est moi qui volerai. Je compte survoler Paris aussi longtemps que possible et me poser en douceur à l'endroit que j'aurai choisi lorsque je connaîtrai la direction du vent. Me ferez-vous l'honneur, Monseigneur, d'assister demain à cette expérience ? Je m'élèverai dans les airs au Champ-de-Mars à 8 heures du matin.

— J'ignore si je pourrai m'y rendre, répondez-vous, mais si cela m'est possible, croyez bien que je ne manquerai pas d'y être.

— J'en serais extrêmement honoré, assure M. de Joubeuf.

— Il me faut maintenant prendre congé, annoncez-vous.

Vous n'avez, en effet, plus rien à faire ici et bien que M. de Joubeuf essaie de vous retenir en vous proposant un rafraîchissement, vous préférez quitter sa maison et retourner à Paris où vous avez rendez-vous à 4 heures avec le commissaire Du Réner devant l'auberge du Pont-Marie. En attendant, vous pouvez, si vous le désirez, prendre un repas dans une autre auberge. Il vous en coûtera 40 sols et vous regagnerez 2 points de FORCE. En sortant de table, vous vous rendrez au **241** pour retrouver le commissaire Du Réner. Vous aurez décidément beaucoup de choses à lui dire !

257

Si vous êtes le Prince du Temps, rendez-vous au **92**. Si vous êtes la Princesse du Temps, rendez-vous au **284**.

258

Si vous êtes habillée en homme, rendez-vous au **213**. Si vous êtes habillée en femme, rendez-vous au **201**.

259

Vous voici donc dans la nacelle face à face avec Bastien Frontouillard. L'endroit est si exigu que vous ne pourrez vous battre qu'à mains nues. Les règles sont alors légèrement modifiées. Vous ne calculerez plus en effet la gravité des blessures reçues. Chaque blessure infligée entraînera une perte de 2 points de FORCE quel que soit l'endroit du corps qui aura été touché. Et maintenant, battez-vous.

BASTIEN
FRONTOUILLARD   MAÎTRISE : 18   FORCE : 20

Si vous remportez la victoire, vous jetez le cadavre de votre adversaire par-dessus bord et vous vous rendez au **276**.

260

M. de Courtemare est chez lui et vous reçoit avec grand plaisir. Vous lui demandez tout d'abord des nouvelles du baron de la Gaillottière. Il semble que celui-ci aille légèrement mieux. Il n'a pas encore repris connaissance, mais les chirurgiens espèrent le sauver.

— Et vous ? s'enquiert M. de Courtemare.

Vous lui racontez alors les événements de la nuit précédente puis vous lui faites le compte rendu de votre conversation avec Bastien Frontouillard.

— Ce passage secret reliant la chambre 4 à la cave de l'auberge du Pont-Marie explique bien des choses, commente Eloi de Courtemare. Le baron de la Gaillottière avait peut-être fait lui-même cette découverte. Ah ! Quel dommage qu'il ne puisse parler ! Que comptez-vous faire à présent ?

— Pour l'instant, je dois retourner à l'auberge du Pont-Marie où le commissaire Du Réner m'attend. Ensuite, je me rendrai au bal masqué que donne ce soir Mme de Sainte-Mouffle. Avez-vous également été invité ?

— Oui, mais ces réjouissances m'ennuient, je n'irai pas.

Vous quittez alors M. de Courtemare qui sort en même temps que vous après avoir chaussé les sabots qu'il affectionne tant. Peut-être auriez-vous envie de le suivre pour savoir où il va ainsi ? Vous n'en avez malheureusement pas le temps, car l'heure est venue de vous rendre au **241** pour retrouver le commissaire Du Réner.

261

— Auriez-vous un domestique qui s'appelle Bastien Frontouillard ? demandez-vous à brûle-pourpoint.

— Oui, répond M. de Joubeuf quelque peu interloqué, c'est même l'un de mes meilleurs serviteurs. Ses gages sont élevés, mais il est loyal et ne renâcle pas à la tâche.

— Pourrais-je le voir ?

— Rien n'est plus simple, il est là-bas, près de

l'aérostat, indique Archibald de Joubeuf en désignant l'un des hommes qui travaillent un peu plus loin. Bastien ! appelle-t-il, viens ici !

L'homme s'avance aussitôt vers vous. Il a une quarantaine d'années, des traits épais, un nez fort et retroussé, des sourcils touffus et des yeux d'un bleu délavé. En vous voyant, Bastien Frontouillard paraît interdit, vous dévisageant avec insistance.

— Bastien, Son Altesse la princesse Perenniov veut te parler, annonce M. de Joubeuf.

— Oui, Altesse ? dit Bastien Frontouillard.

Archibald de Joubeuf, faisant pour une fois preuve de tact, s'éloigne de quelques pas afin que vous puissiez parler en toute tranquillité au domestique.

— J'étais une amie de Thibaud de Ponsac, prétendez-vous, et j'ai appris que vous aviez assisté à ses derniers instants...

— Ah, quel malheur ! s'exclame Bastien, pauvre Monsieur !

— Vous étiez, là quand l'assassin l'a frappé ?

— Oh oui, hélas ! J'étais là ! Lorsque je suis arrivé dans la pièce, l'infâme était en train de poignarder mon maître.

— Il avait le visage masqué, je crois ?

— Oui, il avait un masque noir, ce qui ne l'a pas empêché de se faire prendre dès le lendemain matin. Heureusement, le misérable sera châtié comme il le mérite.

Bien entendu, Bastien Frontouillard est convaincu que Hensock le Follet est bel et bien l'assassin de son ancien maître. Inutile d'essayer de le détromper, il ne vous croirait pas.

— M. de Ponsac est mort sur le coup ? demandez-vous.

— Oui, quand je me suis précipité sur lui pour lui porter secours, il était trop tard.

— Et l'assassin ?

— Il s'est enfui dès qu'il m'a vu. Il y avait une autre porte dans la pièce, c'est par là qu'il est passé. Mon Dieu, pauvre Monsieur, chaque fois que je repense à lui, je ne puis m'empêcher de pleurer.

Bastien Frontouillard baisse la tête. Il a en effet les larmes aux yeux et s'essuie du revers de sa manche gauche. Peu à peu il est secoué de sanglots : vous n'arriverez plus à tirer de lui quoi que ce soit.

— Puis-je retourner à mon travail ? demande-t-il d'une voix entrecoupée de hoquets.

— Oui, oui, allez-y, répondez-vous.

Voyant que vous en avez terminé, M. de Joubeuf revient vers vous.

— Ce Bastien a servi un de mes amis aujourd'hui disparu, déclarez-vous au négociant, je souhaitais qu'il me parle de lui.

— Je comprends... dit M. de Joubeuf d'un air grave. Altesse, reprend-il après un instant de silence, me ferez-vous l'honneur d'assister demain au vol de mon aérostat ? C'est moi-même qui prendrai place dans la nacelle. Je compte survoler Paris aussi long-temps que possible et me poser en douceur à l'endroit que j'aurai choisi lorsque je connaîtrai la direction du vent. Votre présence me serait infiniment précieuse, Altesse, je m'élèverai dans les airs au Champ-de-Mars à 8 heures du matin et si vous le désirez, je viendrai moi-même vous chercher pour vous amener sur place.

Si vous souhaitez accepter la proposition de M. de Joubeuf, rendez-vous au **54**. Si vous préférez réserver votre réponse, rendez-vous au **247**.

Le destin s'est montré cruel en vous faisant tirer cette carte. La toile de votre ballon se déchire en effet de plus en plus et, avant que vous n'ayez pu atteindre l'autre nacelle, l'aérostat tombe dans le vide, vous entraînant dans la mort. Votre mission s'achève donc quelques centaines de mètres plus bas dans un choc fatal.

Vous vous approchez discrètement de deux hommes qui portent chacun un masque rouge. Au passage, vous reconnaissez la comtesse de Sainte-Mouffle, somptueusement parée et dont les yeux sont dissimulés derrière un loup noir. Elle s'entretient avec l'abbé Goulot du Pauillac qui, lui, n'est pas masqué. Revêtu de sa soutane, il parle à voix basse en jetant sur l'assemblée un regard navré, comme si ces réjouissances heurtaient son goût pour l'austérité qui sied à un homme d'Eglise. Alors que vous n'êtes plus qu'à quelques pas des deux hommes aux masques rouges, vous voyez entrer un nouveau venu. Lui aussi porte un « masque de sang », mais surtout, il est chaussé de sabots qu'il abandonne à l'entrée du grand salon. Ses sabots protégeaient les souliers vernis à talons plats qu'il a aux pieds. Aussitôt, vous pensez à Eloi de Courtemare : lui seul, à votre connaissance, se chausse ainsi, à la manière d'un paysan, pour marcher dans les rues boueuses de la capitale. Eloi de Courtemare caché derrière un masque rouge ? Vous voulez en avoir le cœur net et vous allez vers lui. Mais à ce moment, le bal commence et vous avez toutes les peines du monde à vous frayer un chemin dans cette foule qui se déploie pour danser. On vous invite à plusieurs reprises et vous devez à chaque fois vous défiler poliment sans éveiller les soupçons. Lorsque vous parvenez enfin à fuir la cohue, tous les invités aux masques rouges ont disparu, excepté l'homme aux sabots, M. de Courtemare sans doute.

Si vous portez vous-même un masque rouge, rendez-vous au **17**. Dans le cas contraire, rendez-vous au **23**.

264

— Que me voulez-vous, Monsieur ? demande M. de Joubeuf d'un ton mécontent.

Vous lui expliquez alors le plus brièvement possible le projet d'attentat auquel doit servir son aérostat.

— Allons, vous déraisonnez, Monsieur, passez votre chemin et laissez-moi tranquille.

Vous avez beau insister, il ne veut pas vous entendre. Il ne vous reste donc plus qu'une seule chose à faire : filer au Champ-de-Mars en espérant qu'il sera encore temps d'éviter la catastrophe. Rendez-vous au **207**.

265

M. de Courtemare est chez lui et vous reçoit avec grand plaisir. Vous lui demandez tout d'abord des nouvelles du baron de la Gaillottière. Il semble que celui-ci aille légèrement mieux. Il n'a pas encore repris connaissance, mais les chirurgiens espèrent le sauver.

— Et vous ? s'enquiert M. de Courtemare.

Vous lui racontez alors les événements de la nuit précédente puis vous lui révélez votre plus récente découverte :

— J'ai la preuve que l'homme au masque de sang réside chez M. de Joubeuf, affirmez-vous.

Vous lui expliquez comment vous avez trouvé la cape et les masques rouges. Si vous avez pris l'un de ceux-ci, vous pouvez le lui montrer.

— Mais c'est extraordinaire ! s'exclame M. de Courtemare. Il faut à tout prix identifier cet homme !

— Je compte m'y employer, assurez-vous. En attendant, je dois retourner à l'auberge du Pont-Marie où le commissaire Du Réner m'attend. Ensuite, je me rendrai au bal masqué que donne ce soir Mme de Sainte-Mouffle. Avez-vous également été invité ?

— Oui, mais ces réjouissances m'ennuient, je n'irai pas.

Vous quittez maintenant M. de Courtemare qui sort en même temps que vous après avoir chaussé les sabots qu'il affectionne tant. Peut-être auriez-vous envie de le suivre pour savoir où il va ainsi ? Vous n'en avez malheureusement pas le temps, car l'heure est venue de vous rendre au **241** pour retrouver le commissaire Du Réner.

266

Si vous tirez :

La Licorne	Rendez-vous au **262**
Le Serpent	Rendez-vous au **183**
L'Etoile du Nord	Rendez-vous au **85**
La Couronne	Rendez-vous au **87**
Le Poignard	Rendez-vous au **200**
L'Ondine	Rendez-vous au **239**

267

Si vous êtes le Prince du Temps, rendez-vous au **7**.
Si vous êtes la Princesse du Temps, rendez-vous au **270**.

268

Un bruit vous fait soudain tourner la tête. Quelqu'un vient d'entrer dans la sacristie. C'est un homme vêtu d'une cape rouge et dont le visage est dissimulé par un masque de sang : votre agresseur de la chambre 4, l'individu qui a essayé de vous tuer, tout comme il a tenté d'assassiner le baron de la Gaillottière. Vous avez un compte à régler avec ce personnage et c'est le moment ou jamais de le faire. Vous devrez obligatoirement combattre à l'épée, les armes à feu trop bruyantes risquant d'alerter des indésirables. L'homme à la cape rouge dégaine donc son arme, vous saisissez la vôtre et le combat s'engage.

HOMME
AU MASQUE
DE SANG MAÎTRISE : 18 FORCE : 20

Si vous êtes vainqueur, rendez-vous au **283**.

269

Soudain, l'un des hommes qui travaillent près de l'aérostat, et dont, jusqu'à présent, vous n'aperceviez que le dos, se retourne. Vous restez alors bouche bée en reconnaissant formellement l'individu que vous avez démasqué la nuit précédente. Archibald de Joubeuf a remarqué votre réaction de stupeur.

— Eh bien, qu'y a-t-il, Monseigneur ? s'inquiète-t-il.

— Cet homme, répondez-vous en désignant le personnage, qui est cet homme ?

— Mais c'est Bastien, l'un de mes domestiques, déclare M. de Joubeuf.

— Je... Je croyais avoir reconnu quelqu'un d'autre, mentez-vous en vous efforçant de reprendre contenance.

Quant à Bastien, il s'est tout à coup éclipsé en vous voyant.

— Quel est son nom de famille ? interrogez-vous pour avoir pleine confirmation de la vérité.

— Frontouillard. Bastien Frontouillard. C'est un de mes meilleurs domestiques, il a servi dans les plus grandes maisons. Ses gages sont élevés, mais c'est un serviteur loyal qui s'est enthousiasmé pour mes ballons. Je le crois même capable d'exécuter lui-même des vols. Demain, en tout cas, c'est moi qui volerai. Je compte survoler Paris aussi longtemps que possible et me poser en douceur à l'endroit que j'aurai choisi lorsque je connaîtrai la direction du vent. Me ferez-vous l'honneur, Monseigneur, d'assister demain à cette expérience ? Je m'élèverai dans les airs du Champs-de-Mars à 8 heures du matin.

— J'ignore si je pourrai m'y rendre, répondez-vous, mais si cela m'est possible, croyez bien que je ne manquerai pas d'y être.

— J'en serais extrêmement honoré, assure M. de Joubeuf.

— Il me faut maintenant prendre congé, annoncez-vous.

Vous êtes encore sous le choc de votre découverte et il est clair que vous n'avez plus rien à faire ici, bien que M. de Joubeuf essaie de vous retenir en vous proposant un rafraîchissement. Bastien Frontouillard, l'homme au masque de sang ! Ce serait donc lui, l'assassin de Thibaud de Ponsac ! Et ce serait à cause de lui que Hensock le Follet a été mis en prison ! Il vous tarde de revenir à Paris pour faire cette révélation au commissaire Du Réner avec qui vous avez rendez-vous à 4 heures devant l'auberge du Pont-Marie. En attendant, vous pouvez, si vous le désirez, prendre un repas dans une autre auberge. Il vous en coûtera 40 sols et vous regagnerez 2 points de FORCE. Si vous souhaitez, en sortant de table, rendre visite à M. de Courtemare pour lui faire part de votre découverte, rendez-vous au **240**. Si vous préférez aller directement à l'auberge du Pont-Marie pour y retrouver le commissaire, rendez-vous au **241**.

270

Si vous êtes habillée en femme, rendez-vous au **31**.
Si vous êtes habillée en homme, rendez-vous au **7**.

271

Le bateau du Masque de Sang n'est pas le seul à avoir souffert de la collision. Celui de votre frère est également endommagé et vous avez tout juste le temps de le ramener sur la rive avant qu'il ne coule à son tour. Vous êtes tous deux sains et saufs, mais bien loin de l'endroit où vos chevaux sont attachés. Il vous faut plus de deux heures pour revenir là où vous les aviez laissés. Il est maintenant 7 heures du matin.

— Eh bien, nous n'avons plus qu'à nous séparer et à poursuivre notre mission chacun de notre côté, dit votre frère.

— Je m'occupe d'empêcher l'attentat de la mont-golfière, proposez-vous.

— Soit. Pour ma part, j'essaierai de savoir où Hensock le Follet a été enfermé.

— Une question encore : peux-tu me dire où se trouve le quartier général du Masque de Sang ?

— Je l'ignore. Il y a trop peu de temps que je fréquente la confrérie. Je ne sais encore que peu de chose sur eux.

Cette réponse vous laisse sceptique. Votre frère entend garder pour lui les informations qui vous faciliteraient par trop la tâche. Il veut bien partager, mais sans excès ! Vous lui en voulez quelque peu, mais après tout, c'est de bonne guerre : n'oubliez pas que vous êtes concurrents... Vous n'insistez donc pas et vous le quittez là, chacun de vous allant de son côté. Rendez-vous au **253**.

272

— N'ayez crainte, j'ai même de nouvelles révélations à vous faire. Je connais l'identité de l'homme qui a assassiné Thibaud de Ponsac.

— Moi aussi, ronchonne le commissaire, il s'appelle Hensock Lefollet.

— Hensock est innocent, répliquez-vous, l'assassin s'appelle Bastien Frontouillard, c'est le domestique qui prétend avoir assisté au meurtre.

Le commissaire éclate alors de rire.

— C'est ridicule ! s'exclame-t-il, comment pouvez-vous affirmer une chose pareille ?

Vous lui exposez tout aussitôt les éléments qui vous ont permis d'aboutir à cette conclusion. Le commissaire vous écoute en hochant la tête d'un air incrédule puis il lève les yeux au ciel d'un air exaspéré.

— Tout cela n'est qu'une fable, assure-t-il, pour moi, Hensock Lefollet est l'assassin et il n'y a aucune raison de mettre en doute sa culpabilité.

— Pourtant, le baron de la Gaillottière lui-même estimait...

— Le baron n'avait pas plus raison que vous ! tranche Du Réner.

— Lorsque vous aurez vu le passage secret et le dépôt d'armes, vous changerez peut-être d'avis.

— Encore faut-il que vous disiez vrai.

— Eh bien, entrons, proposez-vous, et nous verrons bien si j'ai menti.

Rendez-vous au **232**.

273

Le destin vous a favorisé en vous faisant tirer cette carte. Vous avez eu en effet la présence d'esprit de vous jeter à terre et de rouler sur vous-même pour vous éloigner de la porte qui vient d'être littéralement pulvérisée par la petite bombe que contenait en fait le soleil. Par chance, personne n'a remarqué votre présence : vous avez pu vous cacher dans l'ombre et gagner une anfractuosité dans le mur du couloir. Rendez-vous au **286**.

274

Si vous étiez également habillée en femme lorsque vous avez rendu visite à M. de Joubeuf, rendez-vous au **251**. Si vous étiez habillée en homme, rendez-vous au **277**.

275

Soudain, l'un des hommes qui travaillent près de l'aérostat, et dont, jusqu'à présent, vous n'aperceviez que le dos, se retourne. Vous restez alors bouche bée en reconnaissant formellement l'individu que vous avez démasqué la nuit précédente. Vous vous tournez aussitôt vers le domestique pour échapper au regard de votre agresseur : mieux vaut qu'il ne vous voie pas ici !

— Comment s'appelle l'homme qui vient de se retourner vers nous ? demandez-vous au domestique.

— C'est Bastien Frontouillard, répond-il, celui-là même que vous souhaitiez rencontrer.

Bastien Frontouillard, l'homme au masque de sang ! Ce serait donc lui, l'assassin de Thibaud de Ponsac ! Et ce serait à cause de lui que Hensock le Follet a été mis en prison ! Il vous tarde de revenir à Paris pour faire cette révélation au commissaire Du Réner avec qui vous avez rendez-vous à 4 heures devant l'auberge du Pont-Marie. En attendant, vous plantez là le domestique et vous vous hâtez de quitter les lieux. Si vous le désirez, vous pouvez prendre un repas en cours de route. Il vous en coûtera 40 sols et vous regagnerez 2 points de FORCE. En sortant de table, vous pourrez rendre visite à M. de Courtemare en vous rendant au **240** ou aller directement à l'auberge du Pont-Marie pour y retrouver le commissaire ; rendez-vous dans ce cas au **241**.

276

Vous trouvez aussitôt au fond de la nacelle l'énorme bombe que Bastien Frontouillard devait jeter sur le peuple de Paris descendu dans la rue pour protester contre le renvoi de Necker. Vous attendez alors que votre aérostat passe au-dessus de la Seine, puis vous dégonflez le ballon pour perdre de l'altitude. Lorsque vous n'êtes plus qu'à une dizaine de mètres du sol, vous jetez la machine infernale dans l'eau. La bombe s'enfonce dans les flots où elle ne pourra plus jamais faire de mal. Vous n'avez guère de difficulté à vous poser sur la terre ferme et vous vous hâtez de sortir de la nacelle. Fort heureusement, l'endroit où vous avez atterri est désert et personne ne vient vous poser de questions. Vous marchez jusqu'au village le plus proche et là, vous vous procurez un cheval pour 1 louis d'or. L'animal n'est certes pas un fulgurant coursier, mais il vous ramène cependant à Paris dans des délais raisonnables. La mort de Bastien Frontouillard ne vous arrange guère : il aurait mieux valu, en effet, pouvoir le livrer à la police et le faire avouer. C'était le meilleur moyen d'innocenter Hensock le Follet. Maintenant, il s'agit de retrouver la piste du Masque de Sang. Mais pour commencer, vous décidez d'aller raconter tout ce qui s'est passé depuis la nuit dernière à M. de Courtemare. Il faut d'urgence le mettre en garde contre les projets d'assassinat dont vous avez eu connaissance. Rendez-vous au **255**.

— Nous ne tarderons pas à être débarrassés de ce soi-disant prince Perenniov, assure l'homme. D'ailleurs, il ne peut rien contre nous, il est surveillé de près et n'a à Paris aucun ami. Pour l'instant, nous le laissons s'agiter en vain, bientôt, il sera définitivement neutralisé.

« Surveillé de près » ? Pas en ce moment, en tout cas ! Reste à savoir comment on compte vous « neutraliser ».

— Frères, notre réunion s'achève. Notre cause triomphera, la monarchie sera divine et absolue, c'est la volonté de Dieu et que par le sang du Seigneur...

— Coule le sang du peuple, répètent les autres autour de la table.

— Notre prochaine réunion aura lieu en séance plénière demain soir au lieu habituel. Retournons danser, à présent ; après tout, il faut faire honneur à notre hôtesse.

Un grand éclat de rire accueille ces dernières paroles et tout le monde se lève. Vous en faites autant. Les membres de la confrérie sortent du grenier et vous les suivez. Vous redescendez ainsi dans le grand salon où le bal continue. Les invités semblent enchantés de leur soirée à en juger par l'animation qui règne ici. Les frères aux Masques de Sang ont repris leur place parmi les danseurs, sauf l'homme aux sabots qui a disparu. Mme de Sainte-Mouffle virevolte entre ses invités, mais l'abbé Goulot du Pauillac est parti. Sans doute a-t-il préféré aller se coucher plutôt que d'être témoin de ces futilités ! Quant à vous, il vous paraît plus judicieux de vous éclipser discrètement. Car vous avez la ferme intention de tout mettre en œuvre pour empêcher que se réalisent les monstrueux projets dont vous avez entendu parler ce soir. Vous parvenez sans difficulté à quitter la maison et vous respirez une grande bouffée d'air en vous retrouvant au-dehors. Rendez-vous au **201**.

278

Vous avez une idée pour essayer de percer le mystère qui règne à l'auberge du Pont-Marie. Il est clair que ce lieu est entièrement contrôlé par les frères aux Masques de Sang mais vous ne savez pas encore si c'est bien là que se tient leur quartier général. Votre idée consiste à tenter de pénétrer dans le souterrain par lequel les armes ont été amenées sur le bateau la nuit dernière. Vous verrez bien, alors, ce qui se cache dans les profondeurs de cette auberge maudite. Vous vous rendez donc quai Saint-Paul où vous retrouvez sans difficulté l'entrée du fameux souterrain. Vous avez pris la précaution de vous munir d'une lampe et vous avancez prudemment le long d'un boyau de deux mètres de diamètre environ. Un peu plus loin, vous parvenez dans une sorte de caverne vide. Si l'assassin de Thibaud de Ponsac est mort, rendez-vous au **281**. Si vous ignorez qui il est, rendez-vous au **245**.

279

Si vous aviez déjà rendu visite à Eloi de Courtemare juste avant d'aller chez M. de Joubeuf, rendez-vous au **287**. Sinon, rendez-vous au **260**.

280

Vous avez bien fait de tirer cette carte. Vous avez en effet reculé juste à temps. Le soleil contenait en fait une petite bombe qui a complètement détruit la porte. Vous avez eu la bonne idée de vous plaquer contre la paroi et votre présence n'a donc pas été remarquée. Rendez-vous au **286**.

Vous examinez soigneusement la caverne, mais vous ne découvrez aucune issue : de toute évidence, on a pris la précaution de condamner les ouvertures qui pouvaient exister auparavant. A présent, ce souterrain est inutilisable et vous ne pouvez rien y trouver. Les frères aux Masques de Sang sont trop bien organisés pour conserver un passage secret dont l'existence a été découverte par quelqu'un de l'extérieur. Il est trop tard maintenant pour suivre l'abbé Goulot du Pauillac : vous ignorez où il est allé. Il ne vous reste donc plus qu'à aller chez la comtesse de Sainte-Mouffle, dernier recours pour tenter de tirer au clair le mystère du Masque de Sang. Rendez-vous au **114**.

282

Vous savez que l'homme à la cape et au masque rouges se cache dans cette maison, mais vous ignorez son identité. Peut-être en apprendrez-vous davantage en assistant demain au vol de l'aérostat ? En tout cas, vous n'avez plus rien à faire ici pour l'instant et vous quittez la maison de M. de Joubeuf pour retourner à Paris où, ne l'oubliez pas, vous avez rendez-vous à 4 heures avec le commissaire Du Réner devant l'auberge du Pont-Marie. En attendant, vous pouvez, si vous le désirez, prendre un repas dans une autre auberge. Il vous en coûtera 40 sols et vous regagnerez 2 points de FORCE.

Si vous souhaitez, en sortant de table, rendre visite à M. de Courtemare, rendez-vous au **192**. Si vous préférez aller directement à l'auberge du Pont-Marie pour y retrouver le commissaire, rendez-vous au **241**.

Vous portez un dernier coup et l'homme à la cape rouge s'effondre à vos pieds. Il est mort. Vous lui arrachez aussitôt son masque et vous vous figez de stupeur en reconnaissant... Bastien Frontouillard ! Bastien Frontouillard, le domestique qui a assisté à l'assassinat de Thibaud de Ponsac, l'homme que vous avez vu, ce matin encore, près de l'aérostat de M. de Joubeuf ! Ainsi, c'était donc lui qui devait jeter la bombe sur la foule ! En un instant, tout devient clair dans votre esprit : c'est Bastien Frontouillard lui-même qui a tué M. de Ponsac ! Il a prétendu avoir vu un homme au masque noir poignarder son ancien maître, mais en fait, c'était lui, le meurtrier, lui qui a saisi une dague accrochée au mur pour en frapper le malheureux Thibaud. Et c'est lui qui aurait dû se trouver en prison à la place de Hensock le Follet. La mort de Frontouillard ne vous arrange guère : il aurait mieux valu, en effet, pouvoir le livrer à la police et le faire avouer. C'était le meilleur moyen d'innocenter Hensock le Follet. En tout cas, vous êtes à présent sur la bonne piste pour découvrir la vérité et il s'agit d'aller plus loin. Vous regardez autour de vous, à la recherche d'une issue et vous vous rendez au **215**.

Si vous étiez habillée en homme lorsque vous avez rencontré M. de Joubeuf, rendez-vous au **92**. Si vous étiez habillée en femme, ce dernier ne peut vous reconnaître dans votre costume d'homme. Rendez-vous alors au **264**.

Le destin ne vous a pas été très favorable, mais rien n'est perdu. Vous auriez simplement dû vous reculer plus tôt. Le soleil contenait en effet une petite bombe qui a littéralement pulvérisé la porte. Vous avez reçu des débris de bois et de pierre qui vous font perdre 4 points de FORCE, mais heureusement, vous avez eu la bonne idée de vous plaquer contre le mur et votre présence n'a donc pas été remarquée. Rendez-vous au **286**.

286

Des exclamations admiratives s'élèvent dans la salle.
— Et voilà ! reprend Du Réner d'un ton satisfait. Voilà ce qui arrivera au petit peuple de Paris qui aime trop se rassembler dans les rues. Et encore, vous n'avez vu là qu'une bombe de faible puissance. Il y en aura d'autres beaucoup plus meurtrières. Lorsque l'engin aura sauté, nos saltimbanques s'éclipseront discrètement en profitant de la panique puis iront présenter ailleurs leur spectacle... explosif. Bientôt, les Parisiens n'oseront plus s'attrouper au-dehors et la paix reviendra.
Des applaudissements retentissent et les conversations s'animent. De toute évidence, les personnes présentes sont ravies de la démonstration.
— Venons-en maintenant à d'autres sujets, reprend Du Réner.
Le commissaire parle ensuite de l'attentat que vous avez empêché le matin même puis des armes que vous avez envoyées par le fond au cours de la nuit. Il est clair que votre action n'a guère été appréciée. Le Masque de Sang a prononcé contre vous une condamnation à mort immédiatement exécutoire et vous avez tout intérêt à ne pas vous montrer devant cette assemblée. Vous reculez donc à pas prudents et vous vous réfugiez dans un couloir transversal en attendant de voir ce qui va se passer. En fait, la réunion ne tarde pas à être levée et les frères aux Mas-

ques de Sang sortent de la salle par la porte détruite. Vous les voyez passer en file indienne, puis s'éloigner. Vous attendez environ un quart d'heure, et lorsque vous n'entendez plus rien, vous sortez de votre cachette. Mais à peine avez-vous regagné le couloir principal qu'un homme au masque de sang surgit devant vous. Cet homme n'est autre que le maître à la voix solennelle, le chef suprême de la secte.

— Ha ! Ha ! s'écrie-t-il, je me doutais bien qu'il y avait ici un espion. J'avais refermé les mâchoires du lion en entrant ici, et je les ai retrouvées ouvertes ! Tu payeras cher ton intrusion !

Vous allez devoir combattre cet homme, soit à l'épée, soit au pistolet, à votre convenance, lui-même possédant les deux armes.

MAÎTRE
DU MASQUE
DE SANG MAÎTRISE : 18 FORCE : 15

Si vous parvenez à réduire à 6 ou moins le total de FORCE de votre adversaire, rendez-vous au **181**.

287

M. de Courtemare est encore chez lui et votre réapparition l'intrigue.

— Que s'est-il donc passé ? demande-t-il après vous avoir fait asseoir, êtes-vous allé chez Joubeuf ?

— Oui, et j'y ai rencontré Bastien Frontouillard.

Vous racontez à votre interlocuteur la conversation que vous avez eue avec le domestique. M. de Courtemare vous écoute avec un intérêt poli mais, de toute évidence, ce que vous lui dites ne le passionne pas.

— Voilà qui ne vous avance guère, fait-il remarquer lorsque vous en avez terminé. Il faudrait peut-être vous lancer sur une autre piste ?

— Pour l'instant, je dois retourner à l'auberge du Pont-Marie où le commissaire Du Réner m'attend. Ensuite, je me rendrai au bal masqué que donne ce soir Mme de Sainte-Mouffle. Avez-vous également été invité ?

— Oui, mais ces réjouissances m'ennuient, je n'irai pas.

Vous quittez alors M. de Courtemare qui sort en même temps que vous après avoir chaussé les sabots qu'il affectionne tant. Peut-être auriez-vous envie de le suivre pour savoir où il va ainsi ? Vous n'en avez malheureusement pas le temps, car l'heure est venue de vous rendre au **241** pour retrouver le commissaire Du Réner.

288

— Et le malheureux, au moment de mourir, sachant qui se cachait derrière son assassin, a essayé d'écrire votre nom sur son bureau, mais il n'a eu le temps de tracer que trois lettres : « g-o-u ». Bien entendu, le commissaire Du Réner a négligé ce détail. Ce n'est pas pour rien qu'il fait partie de votre organisation. L'abbé ne répond pas. Rendez-vous au **290**.

289

Hélas, le destin vous a été fatal en vous faisant tirer cette carte. Le soleil contenait en effet une petite bombe qui a littéralement pulvérisé la porte. Or, vous avez pris cette bombe en plein visage, ce qui met cruellement fin à votre mission. Vous étiez pourtant si près du but ! Quel dommage que vous n'ayez pas eu la présence d'esprit de vous reculer à temps !

290

— Mais pourquoi avez-vous décidé de faire accuser Hensock le Follet d'un crime qu'il n'avait pas commis ? demandez-vous.

— Cet homme était dangereux, répond l'ecclésiastique, il avait réussi à gagner la faveur de nombreux aristocrates et il essayait de les influencer pour qu'ils poussent le roi à accepter dans notre pays l'instauration d'une monarchie parlementaire, à la mode anglaise. Comme Sa Majesté montre parfois certaines faiblesses de caractère, peut-être aurait-elle fini par se laisser convaincre. Or, nous tenons à ce que la monarchie reste absolue, suivant en cela la volonté de Dieu. En tuant Thibaud de Ponsac et en désignant Hensock comme coupable, nous faisions d'une pierre deux coups.

— Mais comment avez-vous amené Hensock le Follet à occuper cette fameuse chambre 4 de l'auberge du Pont-Marie ?

— Il y est venu tout seul ! Il commençait en effet à s'intéresser à la confrérie du Masque de Sang et il avait découvert, j'ignore comment, que l'auberge du Pont-Marie nous appartenait. Il a donc décidé de s'y loger, espérant trouver là une piste qui lui aurait permis d'en apprendre plus sur notre organisation. Nous lui avons aussitôt réservé la chambre 4, ce qui nous donnait la possibilité d'entrer chez lui à tout moment. Le soir du meurtre de M. de Ponsac, un narcotique a été versé dans le souper que Hensock avait commandé. Lorsqu'il s'est endormi, Bastien a glissé sous son lit la dague qui lui avait servi à tuer Thibaud de Ponsac, il a ensuite fermé porte et fenêtre de l'intérieur, puis il est sorti de la pièce par le passage secret. Ainsi, la police ne pouvait que croire à la culpabilité de Hensock Lefollet.

— D'autant que c'était Du Réner qui menait l'enquête ! Mais pour quelle raison avez-vous cherché à tuer le baron de la Gaillottière ? Avait-il lui aussi découvert quelque chose ?

— Oui, répond l'abbé. Lorsque Bastien a tué Thibaud de Ponsac, celui-ci avait posé devant lui un médaillon qui représentait le portrait de Mme de Sainte-Mouffle. La comtesse le lui avait donné en gage de... d'amitié. Ce médaillon pouvait se révéler compromettant pour notre bienfaitrice. Bastien l'a donc emporté et me l'a remis. Je n'y ai tout d'abord pas pris garde et je l'ai laissé sur ma table de travail. M. de la Gaillottière est venu un jour me rendre visite et l'a découvert. Comme Thibaud de Ponsac et lui-même étaient très liés, il connaissait l'existence de ce médaillon et savait que seul l'assassin de M. de Ponsac pouvait se l'être procuré.

— Quelle négligence de votre part !

— En effet. Jamais je ne me pardonnerai cette faute. Quoi qu'il en soit, M. de la Gaillottière — et ce n'est pas très élégant de sa part ! — a escamoté le médaillon. Je ne m'en suis aperçu que le lendemain. Craignant qu'il ne découvre la vérité, j'ai décidé de l'éliminer. Bastien s'est aussitôt précipité chez lui, mais le baron était déjà parti raconter tout ce qu'il savait à la police c'est-à-dire, par chance, au commissaire Du Réner... C'est lorsqu'il est sorti du Châtelet que Bastien a essayé de le tuer.

— Et d'une manière spectaculaire...

— Bastien a toujours aimé le risque.

— Mais puisque Du Réner était votre complice, les révélations du baron ne pouvaient avoir aucune conséquence ?

— Le baron était un homme têtu et il avait beaucoup de relations. Il aurait fini par réussir à faire connaître la vérité.

Deux détails vous reviennent alors en mémoire : le baron de la Gaillottière, avant de perdre connaissance, avait demandé un prêtre alors qu'il ne croit pas en Dieu et à boire, alors qu'il venait d'avaler un litre d'orangeade en compagnie de M. de Courtemare. Bien entendu, il faisait allusion à l'abbé Goulot du Pauillac : le prêtre, d'une part, et boire, d'autre part, qui devait suggérer dans son esprit un « goulot » de bouteille.

— Comment se fait-il que lorsque j'ai rencontré Du Réner devant le Châtelet, il m'ait aussitôt fait part des doutes du baron de la Gaillottière quant à la culpabilité de Hensock le Follet ?

— Vous vous êtes présenté comme le parent de Hensock et vous avez déclaré d'emblée votre conviction que celui-ci était innocent. Du Réner voulait vous faire dire tout ce que vous saviez sur cette affaire ; aussi vous a-t-il révélé que le baron pensait comme vous pour vous encourager à parler.

— C'était habile.

— Lorsque vous lui avez annoncé que vous aviez l'intention de loger à l'auberge du Pont-Marie pour essayer d'y découvrir des indices, il vous a aussitôt donné le numéro de la chambre qu'occupait Hensock pour vous faciliter la tâche. Nous n'avions plus ensuite qu'à agir ! Nous voulions d'abord savoir qui vous étiez exactement, puis vous supprimer.

— Et vous avez échoué.

— Hélas !...

— Ou plutôt, heureusement pour tous ceux que vous vouliez massacrer dans l'attentat de l'aérostat.

— C'était une idée de Bastien. Il avait réussi à se faire engager au service de M. de Joubeuf dans le but de préparer de telles actions. Les ballons sont un moyen de combat moderne et efficace.

— Quelle horreur !...

Vous vous félicitez d'avoir débarrassé Paris de ce monstrueux assassin. Hélas, d'autres que lui reprendront sans doute le flambeau de la terreur !...

— Et l'attentat contre M. de Courtemare, comment l'avez-vous organisé ?

— C'est très simple, répond l'abbé. L'un de nos hommes avait placé une bombe dans la carriole d'un rémouleur. Sachant que M. de Courtemare devait se rendre au Palais-Royal, je me suis arrangé pour l'y rencontrer et l'amener rue de Montpensier où la carriole se trouvait. Lorsque nous sommes passés devant, je me suis mis en retrait afin de n'être pas touché par l'explosion. Je vous ai vu alors arriver...

— Et vous m'avez joué une comédie à laquelle j'aurais pu me laisser prendre.

L'abbé Goulot du Pauillac pousse un gémissement de douleur. Une grimace déforme son visage.

— Je vous en prie, supplie-t-il, libérez-moi, je souffre...

— Répondez d'abord à une dernière question : où se trouve Hensock le Follet ?

— A la Bastille. Il sera exécuté dans deux jours, à l'aube.

— Quoi ? Sans procès ?

— Le roi tient à ce que l'assassin de son ami Thibaud de Ponsac soit châtié au plus vite. Ce sera une exécution pour raison d'Etat. Personne n'en saura rien... Ah, mon Dieu, je sens mes dernières forces m'abandonner... !

— Etes-vous prêt à répéter à la police tout ce que vous venez de me dire ?

— Je ferai ce que vous voudrez, mais je vous en supplie, ouvrez les mâchoires du lion... Ces dents de pierre me transpercent le corps... Mon Dieu, ayez pitié...

Vous vous précipitez alors sur les roues dentées pour actionner le mécanisme, mais il est trop tard : l'abbé Goulot du Pauillac vient de rendre au Dieu qu'il servait si mal son âme noire et cruelle...

Cette mort vient fort mal à propos, mais vous en savez suffisamment désormais pour agir. Vous vous

hâtez donc de sortir du souterrain et vous vous rendez au **246**.

291

Au même moment, d'autres émeutiers surgissent
autour de vous. Un coup de feu éclate : le garde
s'effondre avant d'avoir achevé son geste. Il était
temps ! Vous avez été sauvé d'extrême justesse. A
qui devez-vous la vie ? Vous vous retournez et vous
voyez... votre sœur, toujours habillée en homme, un
fusil encore fumant à la main.

— Eh bien, petit frère, lance-t-elle, il semble que je
sois arrivée à temps !

— Chaussette à poule ! s'exclame alors Hensock le
Follet, le Prince et la Princesse du Temps !

« Chaussette à poule » : le juron préféré de Hensock ! Quel bonheur de le voir vivant !

— Excellence ! — c'est le titre qu'on donne aux
Messagers du Temps — vous écriez-vous, vous voici
libre !

Vous ordonnez au garde qui vous a accompagné de
libérer Hensock le Follet des fers qu'il porte aux poignets et vous vous hâtez de l'emmener au-dehors,
suivi de votre sœur.

— Il semble que nous sommes encore une fois à
égalité, fait remarquer cette dernière. Nous avons
réussi ensemble notre mission !

Elle a raison, vous êtes bien obligé de le reconnaître,
ce qui d'ailleurs ne vous enchante guère, mais autant
être beau joueur. Remerciez-la donc sincèrement de
vous avoir sauvé la vie, elle en sera très touchée, puis
rendez-vous au **293**.

292

Au même moment, d'autres émeutiers surgissent
autour de vous. Un coup de feu éclate : le garde

291 *Vous ordonnez au garde qui vous a accompagné de libérer Hensock le Follet des fers qu'il porte aux poignets.*

s'effondre avant d'avoir achevé son geste. Il était temps ! Vous avez été sauvée d'extrême justesse. A qui devez-vous la vie ? Vous vous retournez et vous voyez... votre frère, un fusil encore fumant à la main.

— Eh bien, petite sœur, lance-t-il, il semble que je sois arrivé à temps !

— Chaussette à poule ! s'exclame alors Hensock le Follet, le Prince et la Princesse du Temps !

« Chaussette à poule » : le juron préféré de Hensock ! Quel bonheur de le revoir vivant !

— Excellence ! — c'est le titre qu'on donne aux Messagers du Temps — vous écriez-vous, vous voici libre !

Vous ordonnez au garde qui vous a accompagnée de libérer Hensock le Follet des fers qu'il porte aux poignets et vous vous hâtez de l'emmener au-dehors, suivie de votre frère.

— Il semble que nous sommes encore une fois à égalité, fait remarquer ce dernier. Nous avons réussi ensemble notre mission !

Il a raison, vous êtes bien obligée de le reconnaître, ce qui d'ailleurs ne vous enchante guère, mais autant être beau joueur. Remerciez-le donc sincèrement de vous avoir sauvé la vie, il en sera très touché, puis rendez-vous au **293**.

293

Tandis que vous marchez le long d'un couloir qui mène à l'extérieur, vous remarquez un calendrier accroché au mur. Il indique : 14 juillet 1789. Déjà ! Comme le temps passe ! Vous n'aviez plus aucune notion des dates, à force de passer des nuits blanches !

Vous sortez tous trois de la Bastille et, en attendant mieux, vous décidez de vous réfugier chez M. de

Courtemare. Celui-ci vient de reprendre connaissance et vous lui racontez tout ce que vous avez vécu depuis la nuit dernière.

— Eh bien, dit-il lorsque vous en avez terminé, il semble que le peuple de Paris ait pris en main son propre destin ! Je ne serai sans doute jamais ministre, à présent, mais je souhaite que le vent de la liberté souffle enfin sur notre pays.

— Hélas, répondez-vous, le Masque de Sang, même s'il a perdu son maître, n'a pas été complètement démantelé. Il est à craindre que la sinistre confrérie fasse un jour reparler d'elle.

— Malheureusement, les partisans de la terreur et de la dictature ne disparaissent jamais complètement. Qui sait même si du côté du peuple ?... Mais non, je préfère ne pas y penser. Que ce jour soit un jour de fête pour la liberté, nous verrons demain ce qu'il adviendra...

— Chaussette à poule ! s'exclame alors Hensock le Follet, j'ai bien cru que je finirais ma vie au fond de la Bastille. Voilà une révolution qui est venue à point. Mais j'ai hâte de rentrer chez moi, à présent.

— A propos, reprend Eloi de Courtemare, juste avant votre arrivée, j'ai eu de bonnes nouvelles du baron de la Gaillottière. Il est sauvé.

— Et vous-même ? lui demandez-vous.

— Les médecins m'ont promis que, dans moins d'un mois, je serai sur pied. J'espère alors avoir mon rôle à jouer dans ce qui se passera à ce moment-là... En attendant, Eloi de Courtemare vous donne l'assurance que Du Réner sera révoqué et les saltimbanques terroristes arrêtés. L'heure est venue maintenant de vous séparer. Vous prenez tous trois congé et vous décidez de vous rendre aussitôt à la butte de Chaumont dans la grotte où vous vous trouviez au début de votre aventure. De là, vous pourrez regagner le Royaume du Temps et rendre compte à votre mère de votre mission pleinement réussie.

— Chaussette à poule ! s'exclame Hensock le Follet, quand je pense que j'ai passé tout ce temps à Paris et que je n'ai même pas eu l'occasion de visiter la ville ! Il faudra que je revienne quand les temps seront plus calmes ! Dans un siècle ou deux, peut-être...

La télégéosphère vous ramène tous les trois au centre de la Terre où vous pourrez prendre quelque repos. Mais préparez-vous à entreprendre bientôt une nouvelle mission qui vous conduira cette fois aux Etats-Unis, au temps d'une terrible guerre fratricide. Vous pourrez vivre cette aventure en lisant le prochain volume des Messagers du Temps :

L'HOMME AU CHEVAL DE BRUME.

Achevé d'imprimer
le 26 octobre 1987
sur les presses de
l'Imprimerie Hérissey
à Évreux (Eure)

N° d'imprimeur : 43898
Dépôt légal : Octobre 1987
ISBN 2-07-033423-6

Imprimé en France

42156